D1308711

LES ÉPICES

LES ÉPICES

Caroline Audibert

Produit par Première Page
Couverture et Maquette : Première Page

Tous droits réservés
©2001, Première Page

Dépôt légal : 2ᵉ semestre 2001
ISBN : 2-914042-08-6

Dans la même collection :
Les Fines Herbes
Le Sel
L'Huile d'Olive

SOMMAIRE

Le miracle des épices   6

Le poivre : roi des épices   18

L'ail et la moutarde   30

Épices exotiques   42

Les épices à toutes les sauces   64

Carnet pratique   81

Le miracle des épices

Et maintes espices délitables
Que bon mangier fait après table
Le Roman de la Rose

LA FOLIE DES ÉPICES

La République romaine méprisait les épices, dans lesquelles elle voyait des symboles de la mollesse orientale, et elle en usait avec parcimonie. En revanche, l'Empire consacra leur mode, qui dura jusqu'au XVIIᵉ siècle.

La vogue des épices au Moyen Âge s'explique notamment par les mauvaises conditions de conservation des aliments et leur peu de variété. Il fallait trouver de nouvelles façons d'accommoder les pois, les fèves et autres légumes secs ou racines qui constituaient l'essentiel de l'alimentation ; en outre, en l'absence de système de réfrigération satisfaisant, les viandes s'abîmaient rapidement et les fortes sauces en masquaient le goût faisandé.

Les diverses épices entraient dans 70 à 80 % des assaisonnements du Moyen Âge et de la Renaissance : dans les recettes, le gingembre domine, suivi de près par la cannelle, le safran puis le clou de girofle. Sauces, confitures, dragées, pâtisseries, consommés, les épices sont partout et le plus souvent mélangées pour obtenir une saveur brûlante.

Guillaume Tirel, dit Taillevent, cuisinier de Charles V et auteur d'un recueil de recettes, *le Viandier*, donne des indications précieuses sur l'art culinaire de son époque. Il propose entre autres des « venaisons de clous de girofle », un « brouet de cannelle », ou encore « un comminé de poulaille au cumin ».

Les potages sont noyés sous les fragrances exotiques, telle la soupe à la courge aromatisée à la cannelle, au gingembre et à la noix de muscade, ou encore la soupe dorée très appréciée en Italie, faite d'un consommé de jaunes d'œufs auquel on mêle du jus d'orange et de raisin, des amandes, de l'eau de rose, du sucre, de la cannelle, et surtout du safran pour colorer le tout.

PIMENT

Ci-contre :
PIÈCE À ÉPICES.
CA REZZONICO, VENISE.

Parmi l'abondance des sauces aux noms évocateurs (sauce d'enfer, sauce verte aux épices...), la cameline est particulièrement prisée pour accompagner la langue de bœuf ; elle ne marie pas moins de six ingrédients : gingembre, cannelle, girofle, graines, macis et poivre long.

Les boissons ne sont pas oubliées : Rabelais attribue à Panurge un goût prononcé pour l'hypocras, un vin à la cannelle, que

POIVRIER

Nostradamus préfère parfumer au gingembre. D'ailleurs les vins aromatiques, ou clarets, coulent à flots lors des banquets. Confiture de gingembre, compotes de fruits à la girofle, pains parfumés au sésame ornent quotidiennement les tables aristocratiques. Vu leur prix, les épices étaient essentiellement réservées aux classes les plus aisées et constituaient un signe extérieur de richesse. À la fin des repas, des épices étaient distribuées à l'assemblée sous formes de graines sucrées car on leur accordait des propriétés digestives et rafraîchissantes pour l'haleine.

À partir du XVII siècle, l'abus des épices diminue et chaque saveur commence à trouver une juste place. Les mets chargés, comme le boudin blanc farci de pommes, de sel, d'oignon, de cannelle, de poivre ou de clous de girofle, troublent les palais délicats qui refusent désormais de déguiser les chairs. Dans les sauces, le poivre et le clou de girofle continuent d'être présents, ils constituent encore 40 % des recettes (à la veille de la Révolution, la France consomme 9 000 livres de girofle par an), mais la cannelle et le gingembre sont de plus en plus réservés aux seuls mets sucrés. La cuisine épicée perd son caractère aristocratique et les puissants cherchent à raffiner l'art culinaire.

Cependant la folie des épices a laissé de nombreuses traces.

Bien sûr, l'alimentation épicée demeure très pratiquée dans les pays originaires de ces denrées de prix (Asie, Amérique du Sud...), mais les cuisines d'Europe du Nord et d'Europe centrale se caractérisent aussi par de nombreux plats qui ne sont pas sans rappeler les goûts médiévaux. Et que dire du pain d'épice qui reste une gourmandise pour nos enfants ? L'usage immodéré des épices a poussé les hommes à rechercher leur origine.

QU'EST-CE QU'UNE ÉPICE ?

Le mot épice vient de species qui signifie denrée en bas-latin ; quant au terme aromatica, il désignait n'importe quel assaisonnement. En fait, nous pouvons rassembler presque toutes les plantes utilisées en cuisine sous le terme d'épices. Définir les épices constitue un véritable problème. En effet, les dictionnaires ne distinguent pour ainsi dire pas celles-ci des plantes aromatiques et des condiments : tous servent à accommoder la nourriture quotidienne et à varier les mets. La botanique ne répond pas non plus de façon satisfaisante à la question, car les épices ne représentent pas une espèce définie de plantes mais appartiennent à diverses familles.

LES ROUTES ET LE COMMERCE DES ÉPICES

Certaines épices poussaient naturellement en Europe, tandis que d'autres venaient de très loin, de régions restées longtemps inconnues, que les consommateurs achetaient aux Arabes. Les Romains ignoraient tout ou presque de leur provenance. Ils imaginaient une Arabie riche de senteurs subtiles et de denrées inépuisables. Les progrès de la navigation et les voyages téméraires entrepris ont permis de découvrir des pays de cocagne.

Pourtant les Grecs avaient repoussé très loin les limites de leurs connaissances. Alexandre le Grand avait fait d'Alexandrie la capitale du commerce des épices et un lieu d'échange principal entre l'Orient et l'Occident. La voie de terre est alors privilégiée grâce à la route de la soie : la Serica était pratiquée depuis le IIIe siècle avant notre ère ; elle partait de

Ci-dessous :
LA RÉCOLTE DU POIVRE,
le Livre des Merveilles
XVIe SIÈCLE.

Chine, rejoignait l'Iran et l'Irak jusqu'à la ville d'Antioche. Un trajet plus septentrional longeait la mer Caspienne : il passait par Samarkand, Trabiz et Trébizonde. Bijoux, soieries ou denrées rares étaient acheminés à dos de chameaux ou de dromadaires jusqu'aux confins de la Méditerranée. Ces voyages périlleux traversaient des régions aux reliefs parfois escarpés et il n'était pas rare que les riches cargaisons tombassent aux mains des bandits.

Au VIIIe siècle, l'expansion arabe fait de Bassorah puis du Caire des plaques tournantes du commerce des épices entre l'Asie et l'Europe ; la route conduit à Kandahar, Lahore, puis enfin Delhi. Avec les Croisades, les Européens renouent leurs liens commerciaux avec l'Orient : muscade, cannelle, poivre, citrons ou oranges font la fortune de Venise qui se taille la part du lion dans les échanges. Les denrées de prix atteignent les grandes foires françaises et celles de Champagne, Lyon, puis Marseille et Montpellier, qui accueille l'homme d'affaire Jacques Cœur, deviennent des villes florissantes.

La découverte du port indien de Calicut par Vasco de Gama assure au Portugal la mainmise sur les épices de l'Inde. Deux ans plus tard, une caravelle portugaise rapporte du Brésil une cargaison fabuleuse : Lisbonne devient le grand centre mondial du commerce des épices dont la couronne s'assure le monopole. Espagnols et Portugais sillonnent vers l'Est les mers jusqu'à Ceylan, la Malaisie et surtout les Moluques, véritable réserve de saveurs qu'on appelle l'Archipel des épices. Des Amériques, ces Indes occidentales, ils

NOIX DE MUSCADE

importent des produits nouveaux : tomate, vanille, chocolat. L'ouverture des routes maritimes permet aux marchands, et notamment aux marchands hollandais, de se lancer à leur tour dans la course aux épices. En 1602, ces derniers créent la première grande compagnie commerciale : la Compagnie unifiée des Indes orientales (VOC). Basée à Djakarta, la Compagnie ne recule pas devant la piraterie afin de s'arroger le monopole du commerce avec les populations indigènes et de détrôner les Espagnols et les Portugais. Cependant, l'afflux des épices de plus en plus important en Europe met en péril la prospérité de la Compagnie. Au début du XVIIᵉ siècle, les Hollandais n'hésitent pas à en brûler un grand nombre pour maintenir le niveau des prix, et ils engagent une lutte sans merci avec les Anglais qui ont créé leur propre compagnie des Indes orientales.

Le XVIIIᵉ siècle est celui de l'expansion française dans le commerce lointain grâce à la Compagnie française des Indes, fondée par Colbert, qui multiplie les voyages entre Lorient et Pondichéry puis Chandernagor. L'expérience étonnante du botaniste Pierre Poivre, au nom prédestiné, illustre les tentatives de la Compagnie pour développer l'implantation des épices dans les différentes colonies françaises. Savant enthousiaste et aventurier de nature bien que manchot, Poivre débarque à Timor sur une des îles des Moluques, jalousement gardées par les Néerlandais, se fait passer pour un infirme et un voyageur anodin. Sa ruse lui permet de dérober des plants de girofliers et de muscadiers qui sont ensuite implantés avec succès dans les possessions françaises : la Réunion, Madagascar ou les Antilles.

La culture des épices s'étend alors peu à peu, sonnant le glas du monopole des grandes compagnies européennes. L'Amérique indépendante développe ses relations commerciales avec l'Orient et le port de New York devient le principal lieu d'échange des épices. La grande cité américaine occupe encore de nos jours la première place dans le commerce des épices.

ÉPICIERS OU APOTHICAIRES ?

Les Égyptiens utilisaient déjà les épices comme onguents ou baumes, et ils les mêlaient à différentes plantes aromatiques pour les embaumements. Parées de vertus médicinales par les médecins médiévaux, les épices étaient vendues au poids par la corporation des épiciers comme par celle des apothicaires. La confusion était suffisamment importante pour que les ordonnances royales rappellent que « Qui est épicier n'est pas apothicaire et qui est apothicaire est épicier » ; formule ambiguë, source d'une longue querelle entre les deux métiers qui dure jusqu'au milieu du XVIIIe siècle.

Les épices étaient utilisées dans toutes sortes de remèdes : pour lutter contre les flatulences, les migraines, le vieillissement, les épidémies de peste, elles étaient aussi recommandées pour leurs vertus antiseptiques. La noix de muscade entrait notamment dans plusieurs préparations compliquées : ses propriétés hypnotiques étaient déjà bien connues, aussi était-il recommandé de n'en user qu'avec prudence. Les girofles étaient réputés soigner l'impuissance ou le catarrhe, les cataplasmes à base de moutarde étaient censés ouvrir les poumons et faciliter ainsi la respiration. Les marins chinois ne se séparaient jamais de réserves de gingembre pour éviter les ravages du scorbut.

Cette médecine corsée n'allait pas sans problèmes secondaires. S'il est vrai que certaines épices ont des vertus reconnues et que les huiles essentielles issues de ces plantes sont encore utilisées dans les préparations pharmaceutiques, leur utilisation à outrance pouvait avoir des conséquences irritantes pour l'estomac et les crèmes de moutarde brûlaient fortement l'épiderme.

Certaines recettes ont eu la vie longue. De nos jours, les huiles de synthèse, moins onéreuses, sont utilisées dans l'industrie alimentaire et pour les cosmétiques, mais les médecins orientaux, plus familiarisés que nous avec les propriétés des épices, les intègrent encore dans leurs ordonnances.

Le poivre : roi des épices

Quand on parle de sauce, il faut qu'on y raffine
Pour moi j'aime surtout que le poivre y domine
Boileau, *Satire III, le Repas ridicule*

LES PIPÉRACÉES

Lorsque Boileau compose le *Repas ridicule*, les Français redécouvrent le goût authentique des aliments, le poète peut alors aisément se moquer de ceux qui abusent encore des épices. Et pourtant, pendant des millénaires, le poivre a été jugé indispensable. Des textes indiens écrits en sanscrit confirment son utilisation très ancienne sous le nom de *pippali*. Par l'entremise des Aryens, premiers exportateurs, le poivre pénètre le monde grec où il devient *peperi*. Les différentes appellations occidentales sont restées très proches des origines (*pepe* en Italie, *pepper* en anglais, ou *pfeffer* en allemand).

Le *piper nigrum* est l'arbre à poivre par excellence, mais on connaît aussi trois autres variétés principales de poivriers qui appartiennent à la famille des pipéracées : le poivre long *(piper longum)* domine la cuisine jusqu'au XIIe siècle où il est peu à peu remplacé par le poivre noir. Il entre dans la préparation des *pickles*.

Le cubèbe (*piper cubeba*), ou poivre long, pousse dans les zones tropicales au milieu des plantations de café et de cocotiers ; ses baies moulues servent de condiments. Enfin le bétel (*piper betle*) est très prisé en Inde pour ses feuilles qui sont mastiquées avec un mélange de noix d'arec et de chaux.

Pages précédentes :
PLANTATION DE POIVRE
DANS LE KÉRALA EN
INDE.

Poivre noir ou poivre blanc ? Tout dépend de la saveur recherchée. Les grains noirs sont à l'origine les baies vertes, cueillies avant maturité complète et mises à sécher jusqu'à ce qu'elles noircissent et se rident. Le poivre blanc provient des baies rouges, trempées dans l'eau et débarrassées de leur peau ; on les fait sécher au soleil jusqu'à ce qu'elles blanchissent. Le poivre noir a un goût plus fort que le poivre blanc, réservé en général aux sauces blanches. Mais on peut aussi mélanger les deux couleurs dans une poivrière et les moudre ensemble. Le poivre vert, très à la mode dans la gastronomie actuelle, est issu des grains conservés par surgélation, en saumure ou dans du vinaigre.

Comment imaginer maintenant nos tables sans salière ni poivrière ? Le mariage presque obligé des deux saveurs dans chacun de nos plats a donné l'expression « poivre et sel » pour parler d'une couleur grisonnante.

Le poivre entre encore dans beaucoup de sauces pour accompagner les viandes et surtout le gibier. La sauce noire voulait qu'on délaye, dans du vin ou de la bière, du poivre noir, des fèves, des pois et du pain grillé. La sauce au poivre, dont les grains verts ornent nos steaks, est une lointaine descendante des poivrades enflammantes de toutes sortes qui accommodaient les mets carnés :

« Les chairs seront en estouffade. Les entrailles à la poivrade » proclame le poète Scarron. Assortiment d'huile, de vinaigre et de poivre auxquels on peut ajouter des os broyés, du sang, les poivrades accompagnent encore souvent les produits de la chasse.

La charcuterie témoigne aussi de l'utilisation outrée qu'on a pu faire du poivre : saucissons secs ou saucisses sont parsemés de grains noirs et rappellent que le poivre a la vertu de conserver les aliments. Encore plus représentatif : le pavé au poivre, sorte de grosse galette de charcuterie recouverte de grains noirs. En outre, la choucroute, privilégiée pour accompagner la charcuterie, est souvent parfumée aux baies de genièvre, qui évoquent le faux poivre médiéval.

Les grains entiers peuvent aussi servir à relever le goût de certains produits lactés. Nous trouvons couramment dans les grandes surfaces ou chez le crémier des fromages recouverts de poivre ; le grand cuisinier romain Apicius (Iᵉʳ siècle de notre ère), réputé pour ses inventions culinaires, avait mis au point une recette, le *Moretum virgilianum*, qui mêlait fromage blanc, menthe, fenouil, miel et bien sûr poivre.

Utilisé quotidiennement, notamment dans l'assaisonnement des salades, le poivre a trouvé une place de choix même si celle-ci est plus discrète que l'usage qu'en faisaient les Anciens. La consommation mondiale, en constante augmentation, en témoigne : plus de 103 000 tonnes en 1976, 124 000 en 1980 ; et le poivre occupe toujours la première place des importations dans la majorité des pays, en volume comme en valeur. La Communauté Internationale du Poivre veille aux échanges internationaux de cette précieuse denrée.

LES SAUMURES ÉPICÉES

Très utilisées en Angleterre pour la préparation des chutneys ou les conserves de fruits et légumes aromatisés au vinaigre, les saumures ont des combinaisons variées selon les fabricants, mais sont également faciles à réaliser à condition de se procurer les bons ingrédients. Pour une saumure à base de poivres, on mélange : graines de moutarde, grains de poivre noir, grains de poivre blanc, grains de poivre de la Jamaïque, quelques clous de girofle, un peu de gingembre séché. Une saumure à base de piments allie la force des piments de Cayenne aux arômes plus doux du macis et de la girofle.

La jeune Alice de
Lewis Carroll
rencontre une
duchesse qui berce
un enfant hurlant,
tandis que sa
cuisinière est
penchée au-dessus
d'un chaudron fumant
qu'elle arrose
copieusement de
poivre.
Alice découvre
alors que le nouveau-
né n'est autre
qu'un petit goret,
sans doute destiné
au ragoût
de cochonnaille
en préparation.

Page ci-contre :
Récolte du poivre en
Inde.

25

« CHER COMME POIVRE »

Denrée rare, lointaine, de faible volume, le poivre s'est vendu à prix d'or et servait de monnaie d'échange. Jean de Meung, un des auteurs du Roman de la Rose, *disait déjà : « Cela ne vaudrait un grain de poivre », auquel fait écho le proverbe du XVe siècle « cher comme poivre ».*

Dès son introduction dans le monde méditerranéen, le poivre a connu un succès fulgurant. Au Ier siècle ap. J.-C., Pétrone raconte que les maîtresses de maison broyaient elles-mêmes cette précieuse épice à table pour éviter le gaspillage ou le vol par leurs domestiques. Lors du sac de Rome en 408, le roi wisigoth Alaric, exigea une rançon en or, en argent, mais aussi 3 000 livres de poivre.

Au Moyen Âge, cette épice sert de redevance vassalique, complète les dots, et il est d'usage d'offrir à ses visiteurs une petite boîte de poivre. Les juifs avignonnais versaient un impôt en poivre au moment de Noël aux archevêques de la ville pour obtenir le droit d'ouvrir leurs écoles et leurs cimetières.

Le corps de métier des pébriers ou poivriers créé au XIVe siècle est, à l'origine, un ordre distinct de celui des épiciers. Il arbore un écusson orné de grains de poivre et de clous de girofle. D'ailleurs au Moyen Âge, le mot poivre pouvait désigner toutes sortes d'épices.

À l'origine on payait les amendes judiciaires avec des dragées de poivre ou autres épices et douceurs ; bientôt ces « pots de vin » furent versés en argent mais le titre de grand épicier est ironiquement resté à certains présidents de parlements. Racine s'est moqué de cette habitude dans les Plaideurs, *où il fait dire au personnage simplet de Petit-Jean :*

> *« Il me redemandait sans cesse ses épices*
> *Et j'ai tout bonnement couru dans les offices*
> *Chercher la boîte à poivre. »*

Le prix du poivre reste exorbitant jusqu'au XVIe siècle. Aussi les Européens ont-ils tenté d'introduire sa culture dans leurs colonies. Seul le poivrier du Brésil a réellement réussi son implantation et ce pays est, de nos jours, un des grands pays exportateurs de poivre.

POIVRE ET FAUX POIVRES : LES VARIÉTÉS ET LES USAGES

Compte tenu de sa vogue, les hommes ont eu recours à des succédanés de ce produit et ont appelé poivre des plantes qui n'ont rien à voir avec la famille des pipéracées. Certains marchands peu scrupuleux vendaient sous le nom de poivre des assortiments de poudre de genièvre et de coriandre dans lesquels ils glissaient un peu de *piper nigrum*, ou encore des grains d'épices passés qu'ils appelaient « poivre de La Rochelle ».

Certains substituts du poivre sont des épices de bonne quali-té, dégageant des saveurs fines et parfumées. Le progrès des connaissances botaniques a permis de leur redonner leur véritable appellation :

- le poivre de Guinée (*Amomum melegueta*), appelé aussi maniguette, malaguette et même, de façon plus poétique, graine de paradis. On le trouve principalement sur la côte ouest de l'Afrique ; la plupart des exportations actuelles viennent du Ghana. Cette épice a souvent remplacé le poivre quand il était hors de prix ou lors de pénuries ;

- la nigelle, appelée aussi poivrette ou « cheveux de Vénus » dont le goût assez doux évoque un croisement entre le pavot et le poivre. Les graines très noires, petites, rappellent celles du cumin : on les moud à l'aide d'un moulin à café. Cultivée en Europe du sud, au Proche-Orient et en Inde, la nigelle s'utilise dans des mélanges d'épices et aromatise souvent le pain, tel le nan indien ;

- le poivre de Bourbon, ou *Schinus molle*, ou encore poivre rose : ses baies rouges ou roses sont moins piquantes que celles du poivrier, mais dégagent une saveur aromatique très

appréciée. On trouve principalement ce poivre rose à l'île de la Réunion (ancienne île Bourbon), à l'île Maurice et en Floride ;
- le poivre de Cayenne est en réalité une variété de piment sur laquelle nous reviendrons car elle est d'une grande importance dans la cuisine sud-américaine ;

- le poivre du Sichuan ou *fagara* : sorte de frêne épineux, originaire de Chine, qui pousse sur les collines de la province du Sichuan et dont les baies sont mises à sécher jusqu'à ce qu'elles s'ouvrent pour qu'on puisse en enlever les graines intérieures particulièrement amères. Ces graines noires étaient couramment utilisées en médecine pour lutter contre la dysenterie. L'arôme du *fagara* est légèrement anisé et boisé, il ne délivre pas sa saveur ardente immédiatement, mais laisse un goût puissant en bouche. Deux mélanges à base de *fagara* sont très prisés :
- le sel aromatisé : on mélange gros sel et moitié moins de *fagara* grillé et moulu dans lequel on trempe des légumes crus ou des morceaux de viandes et de volailles rôties ;
- le sel aux épices : cette combinaison très proche de la précédente, utilise du sel fin, du *fagara* et deux grains de poivre blanc grillés et moulus ;

- le *sansho* ou poivre japonais est extrait du clavalier très proche du *fagara* ; les feuilles sont séchées, puis pilées et servent de condiment et d'assaisonnement comme notre poivre ;
- le poivre de la Jamaïque (*Pimenta dioca*) : on l'appelle aussi toute-épice ou quatre-épices parce qu'elle combine la saveur du poivre noir, du gingembre, du girofle et de la muscade. Christophe Colomb lui donna le nom de poivre parce que ses baies brunes ressemblent étonnamment à celles du *Piper negrum*.

Malgré les essais des Européens pour transplanter la culture de cet arbre dans d'autres régions tropicales, la toute-épice est une des rares épices à être presque exclusivement originaire du Nouveau Monde.

À l'heure actuelle, les exportations vers l'Europe proviennent essentiellement du Honduras, de la Jamaïque et du Costa Rica.

Les usages culinaires de cette épice sont très divers : elle entre dans la composition de mélanges pour des saumures et parfume une boisson forte connue sous le nom d'alcool de rhum.

L'ail et la moutarde
Des goûts forts au quotidien

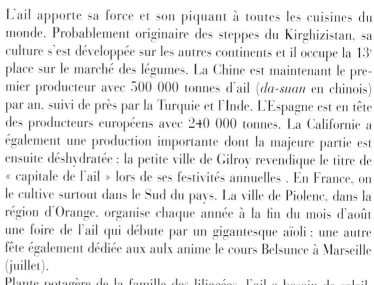

L'ail est une bonne épice.
Ferdinand le Catholique, XVe siècle

L'AIL

L'ail apporte sa force et son piquant à toutes les cuisines du monde. Probablement originaire des steppes du Kirghizistan, sa culture s'est développée sur les autres continents et il occupe la 13e place sur le marché des légumes. La Chine est maintenant le premier producteur avec 500 000 tonnes d'ail (*da-suan* en chinois) par an, suivi de près par la Turquie et l'Inde. L'Espagne est en tête des producteurs européens avec 240 000 tonnes. La Californie a également une production importante dont la majeure partie est ensuite déshydratée ; la petite ville de Gilroy revendique le titre de « capitale de l'ail » lors de ses festivités annuelles . En France, on le cultive surtout dans le Sud du pays. La ville de Piolenc, dans la région d'Orange, organise chaque année à la fin du mois d'août une foire de l'ail qui débute par un gigantesque aïoli : une autre fête également dédiée aux aulx anime le cours Belsunce à Marseille (juillet).

Plante potagère de la famille des liliacées, l'ail a besoin de soleil. Son bulbe (on parle aussi de tête) est composé de caïeux (gousses). À l'état sauvage, ses longues feuilles plates donnent des petits bouquets de fleurs blanches ou rosâtres. L'ail se cultive facilement dans un potager, il favorise notamment la pousse des légumes en éloignant les pucerons, à condition de ne pas le mettre à proximité des fèves et des petits pois qui le supportent mal.

Page ci-contre :
CHAMP D'AIL EN FLEURS.

Il en existe environ 700 variétés. Mais nous consommons surtout l'ail blanc planté en automne et récolté au milieu de l'été suivant ; l'ail rose ou rouge, planté au printemps, est récolté en juillet. Il suffit d'enterrer les gousses à 5 cm de profondeur espacées de 15 cm. Lorsque les feuilles jaunissent, on arrache le bulbe et on l'entrepose dans un endroit sec à l'abri de la lumière.

L'ail blanc peut se consommer frais et sa saveur est plus délicate que lorsqu'il est séché. L'ail (blanc ou rose) séché est souvent commercialisé en tresses, il se conserve alors plus longtemps que vendu en filets ; beaucoup de bars espagnols suspendent à leurs solives des tresses d'aulx qui alternent avec de délicieux jambons. Il existe de nombreux produits dérivés de l'ail séché : notamment le sel d'ail (90 % de sel marin et 10 % d'ail), la crème d'ail directement proposée en pots ou encore l'ail déshydraté dont le goût est beaucoup plus fort. La Thaïlande produit une variété originale, l'ail toupet, dont les gousses minuscules servent à accommoder les marinades. Plus l'ail est vieux, plus sa saveur est forte.

L'ail divise le monde : il a ses détracteurs et ses défenseurs enthousiastes depuis la plus haute Antiquité. En effet l'ail contient du soufre qui lui donne son goût âcre et persistant. Plusieurs « trucs » permettent de remédier aisément à cet inconvénient. La première des conditions, lorsqu'on assaisonne une salade ou qu'on utilise l'ail cru, est d'en ôter le germe central que le langage populaire nomme de façon imagée « l'indiscret ». Mais on peut également boire un jus de citron avant sa consommation ou bien encore croquer un grain de café ou de cardamome pour en combattre l'odeur. Il est aussi préférable d'éviter de le presser et de privilégier un hachage fin avant de l'utiliser dans des sauces.

La cuisine à l'ail est très ancienne et les aillades médiévales sont restées célèbres. La consommation de fortes aillades a permis à Pantagruel, héros de Rabelais, de défaire 220 millions et 6 013 de ses ennemis en une semaine, rien qu'en ouvrant la bouche pour leur faire sentir son haleine. L'ail est très présent dans la gastronomie méditerranéenne dont il relève la plupart des plats : aïoli provençal (sorte de mayonnaise aillée), gigots finement fourrés de portions de gousses, gaspachos andalous... L'*ajo blanco* (ail blanc) est une délicieuse soupe froide espagnole à base d'ail et d'amandes. Personne n'imagine déguster des escargots sans les parfumer de beurre d'ail. Pour donner un goût discrètement aillé à une salade, il suffit souvent de frotter le saladier avec une gousse ouverte. L'ail relève la plupart des plats mijotés (viande ou légumes), on le sert plus rarement avec le poisson, exception faite de la morue. On peut également faire cuire une gousse entière (ail en chemise) au four ou encore la mettre à bouillir ; ce qui adoucit son goût. Il peut se servir tel quel en *tapas* espagnols. Les Asiatiques, et notamment les cuisiniers chinois, sont passés maîtres dans l'art de dissimuler son goût prononcé dans leurs plats. En Asie du Sud-Est, il sert le plus souvent à atténuer les plats fortement pimentés. On peut aussi utiliser sa tige comme on se sert de la ciboulette.

« Une caresse d'ail revigore, un excès d'ail endort » disait Curnonsky tant il est vrai qu'un bon dosage d'ail peut donner aux mets une saveur incomparable.

Bien que certains se soient acharnés contre l'usage de l'ail, cette plante a des vertus reconnues depuis longtemps. Ami ou ennemi des amants ? Il est incontestable que l'ail est un aphrodisiaque.

mais son odeur a été une cause de rupture entre le poète romain Horace et sa maîtresse. En revanche, on sait également que le roi Henri IV, grand consommateur de cette épice dont on lui avait frotté les lèvres lors de sa naissance, était un ardent amateur de femmes. Vigueur sexuelle et force sont les propriétés qu'on accordait à l'ail : les Égyptiens en gavaient quotidiennement les constructeurs de pyramide. Cette vertu n'était pas appréciée par tous : le temple de Cybèle à Rome était interdit aux personnes ayant consommé de l'ail.

Les Romains, les Chinois, et les Arabes recommandaient d'en consommer en cas de morsure de serpent.

L'ail est depuis fort longtemps utilisé comme panacée, on l'appelait familièrement « la thériaque du pauvre ». Une histoire populaire a donné son nom au « vinaigre des quatre voleurs ». La légende raconte que pendant la grande peste marseillaise de 1720, quatre malandrins détroussaient les cadavres sans être atteints par l'épidémie. Interrogés, ils révélèrent qu'ils s'enduisaient d'ail macéré dans du vinaigre. Cette recette est restée une prescription pour lutter contre les affections bronchitiques sous forme de masque.

Le folklore s'est emparé de ces différentes propriétés. La littérature fantastique attribue à l'ail le pouvoir d'éloigner les vampires. Il a également valeur de symbole. Pierre Jakez-Hélias raconte notamment qu'on faisait boire aux nouveaux mariés, le soir de leurs noces, une soupe faite de lait et d'ail, pour évoquer le mélange de douceur et d'amertume dont est faite la vie commune.

On ne peut pourtant oublier que l'ail contient des vitamines (A, B et C), qu'il a un effet bénéfique sur la circulation sanguine et qu'il possède des qualités antibactériennes non négligeables ; les recherches actuelles étudient ses propriétés anticancérigènes ; on dit même qu'il permet d'allonger la durée de vie.

AILLADES (RECETTES DU MOYEN ÂGE ET DE LA RENAISSANCE)

- Aillade blanche aux amandes :

Piler des amandes et y ajouter une bonne quantité d'ail. Piler le tout ensemble en y ajoutant un peu d'eau. Mouiller de la mie de pain dans du bouillon de viande ou du fumet de poisson. Mélanger la mie de pain au bouillon.

- Aillade violette :

Presser du raisin noir dans une marmite, puis faire bouillir pendant une demi-heure. Passer le moût, puis le mélanger à de l'ail pilé. La même chose peut se faire avec des cerises. Ces aillades accompagnent viandes ou poissons.

La moutarde

« De trois choses Dieu vous garde, du bœuf salé sans moutarde,
  d'un valet qui se regarde, d'une femme qui se farde. » (dicton)
La moutarde est obtenue à partir d'une plante annuelle qui ne
dépasse guère 80 centimètres de haut, ornée de petites fleurs
jaunes et dont il existe environ quarante variétés. Les espèces les
plus connues sont la moutarde blanche (*Sinapis alba*) cultivée
depuis longtemps dans les régions tempérées, la moutarde noire
(*Brassica negra*) que l'on trouve surtout au sud de l'Europe et en
Asie, et la moutarde brune (*Brassica juncea*) d'origine indienne.
Les feuilles et la tige de la plante ont été longtemps consommées
sous forme de salade, mais c'est essentiellement pour ses graines
que la moutarde est aujourd'hui appréciée : le sénevé désigne la
moutarde sauvage. La graine de *Sinapis alba* sert de base à la
préparation de la moutarde, dont le nom s'applique indifférem-
ment à la plante, aux graines ou au condiment. Cueillies à maturité avant qu'elles n'éclatent, les gousses sont stockées, puis
séchées avant d'être battues.

Le goût piquant et parfumé de la moutarde a été particulièrement prisé dès la plus haute Antiquité. Le plus souvent, les
graines étaient concassées et mélangées à du moût de raisin pour
donner un *mustums ardens* (un moût à la saveur ardente) ; cette
préparation a donné le mot de moutarde. La graine de la moutarde blanche, dite de nos jours moût anglais, a été la première
utilisée comme condiment de table, notamment dans la composition des vinaigrettes.

Les populations européennes du Moyen Âge en faisaient une forte
consommation, car son prix était peu élevé. Il existait notamment
des recettes de poissons accommodés à la moutarde. Mais son
usage était surtout réservé à la dégustation des venaisons et de la
charcuterie. Au XIIIe siècle, la ville de Dijon devient une référence
pour son savoir-faire et ses préparations variées : moutardes

noires, grises ou blanches au goût très fort, ou moutardes rouges préparées avec du moût de raisins noirs, consacrent la ville bourguignonne comme capitale de la moutarde : les graines étaient broyées sous de grosses meules rondes. Philippe le Hardi donne sa devise à la ville : « moult me tarde » (j'ai hâte), jeu de mot subtil qui met le fameux condiment en exergue.

La moutarde de Dijon était d'abord sèche, sous forme de tablettes délayées dans du vinaigre ; mais on trouvait également des moutardes en pâte qui mêlaient sénevé, cannelle, miel et vinaigre, le tout mélangé à du pain. Au XVᵉ siècle, les petites fabriques s'implantent dans la région dijonnaise et inventent de nouvelles saveurs ; la corporation des vinaigriers-moutardiers s'organise.

Le XVIIIᵉ siècle est celui de l'invention et de la variété : moutardes aux câpres, aux anchois ou au champagne, celle-ci spécialement conçue pour le palais sensible des femmes, font fureur. C'est l'époque de la naissance de grandes firmes renommées. On a, en outre, réussi à mettre au point une nouvelle forme de fabrication qui permet d'obtenir une poudre fine et sèche qui se conserve très bien : la moutarde se vend désormais en pots. Dans son *Tableau de Paris*, écrit à la veille de la Révolution, Sébastien Mercier regrette le temps des marchands ambulants qui arpentaient les rues avec leurs brouettes remplies de tonneaux de vinaigre et de moutarde. Il marque néanmoins son admiration devant l'ingéniosité du sieur Maille, établi rue Saint-André-des-Arts à Paris, qui jouit d'une renommée internationale. Au même moment, un maître-vinaigrier dijonnais crée une fabrique dont est issue la société Amora (marque déposée en 1919). Comme beaucoup de plantes, la moutarde est également utilisée en médecine. Cataplasmes de moutarde, bains de moutarde, absorption de moutarde ont constitué des médications variées pendant des siècles. En 1802, un pharmacien breton a mis au point une « moutarde celtique de santé » qui connut un succès tel que Saint-Brieuc était symbolisé par un pot de moutarde sur les cartes gastronomiques.

Téméraire
MOUTARDE
COMPLETE

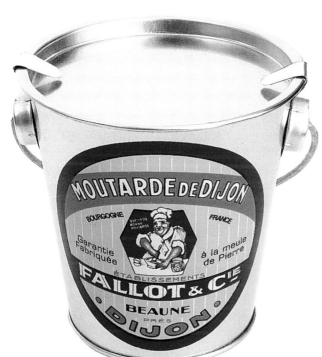

Aujourd'hui, chacun peut trouver une moutarde à son goût, sous diverses formes : granuleuse avec des graines entières ou lisses. Les Anglais préfèrent les moutardes en poudre faites à partir de la moutarde blanche. Les Allemands ont une prédilection pour les moutardes très fortes ; la ville de Düsseldorf est un grand centre de production. La recette de Meaux (moutarde à l'ancienne) privilégie un broyage grossier qui laisse voir le mélange des deux graines : noires et blanches. Moutardes à l'estragon, fortes aux fines herbes, au miel, au vin, sucrées (pour les Américains), moutarde de Crémone – spécialité italienne fabriquée avec des fruits –, la palette est infinie. Ce condiment accompagne toujours nos viandes et la charcuterie.

Dijon reste une référence essentielle pour tous les fabricants de moutarde, à tel point que bon nombre de moutardes se réclament de l'appellation « moutarde de Dijon » même si leur lieu de fabrication en est très éloigné. La notion de terroir ne rentre pas en ligne de compte, il suffit de disposer de moutarde en pâte tamisée qui doit contenir au moins 28 % de « moutarde ». Les producteurs bourguignons essaient d'obtenir une reconnaissance légale de la part du ministère de l'Agriculture qui leur permettrait d'avoir une Appellation d'Origine Contrôlée. Ils se sont regroupés afin de cultiver 5 000 hectares de plants de moutarde avant l'an 2000.

La moutarde est facile à préparer, même chez soi : il suffit d'écraser les graines de sénevé dans un mortier et de les mélanger avec du vinaigre et du sel.

LE MOUTARDIER DU PAPE

Deux anecdotes illustrent l'expression « se prendre pour le moutardier du pape » qui s'applique aux personnages fats et imbus d'eux-mêmes. La première, sujette à caution, remonte à Jean XXII (XIVe siècle) qui aurait créé la charge de moutardier de la cour papale pour trouver une situation à l'un de ses neveux incapable de faire quoi que ce soit. Une autre petite histoire attribue la pérennité de cette expression au pape Clément VII (XVIe siècle) qui, paraît-il, aimait tellement la moutarde, qu'il en parfumait tous ses plats et était prêt à tout accorder à celui qui lui fournissait des préparations à son goût.

Épices exotiques

Dieu a fait l'aliment, le diable l'assaisonnement
James Joyce, *Ulysse*

CANNELLE ET CANNELIER-CASSE : ÉPICES PARMI LES PLUS ANCIENNES

Les Égyptiens de l'Antiquité et les Chinois en étaient grands consommateurs. Les taoïstes pensaient notamment que les immortels buvaient un breuvage aromatisé à la cannelle. La saveur parfumée et sucrée de cette plante a longtemps fasciné les Européens qui ignoraient son origine : pendant les croisades, le sieur de Joinville croyait dur comme fer que la cannelle était pêchée dans le Nil à l'aide de filets.

Deux variétés principales de cannelier fournissent une écorce odorante : le cannelier-casse (*Cinnamomum cassia*) et le cannelier (*Cinnamomum zeylanicum*) proprement dit qui appartiennent à la même famille botanique que le laurier.

Le cannelier, originaire de Ceylan, est maintenant cultivé en Inde, aux Antilles, au Brésil et aux Seychelles, deuxième pays producteur après le Sri Lanka. Cet arbre peut atteindre 10 mètres de haut, mais pour faciliter la récolte de l'écorce, on réduit sa taille dans les plantations. On racle minutieusement les troncs d'arbres afin d'obtenir des écorces les plus fines possibles. Plus la cannelle est pâle, meilleure est sa qualité, aussi les premières écorces, très épaisses, ne sont-elles pas exploitées. Les fins tuyaux de cannelle s'incurvent en séchant et sont ensuite roulés à la main : l'opération est délicate et très coûteuse en main-d'œuvre. Les plus gros impor-

tateurs de cannelle de Ceylan sont le Mexique et les États-Unis.

Le cannelier-casse est surtout cultivé en Chine, en Indonésie et au Viêt-nam ; son écorce est plus rouge que celle du cannelier et son goût teinté d'amertume. La récolte se fait par arrachage au moment de la saison des pluies. Les fragments obtenus sont mis à sécher sur de grandes nattes ou des filets. On recueille aussi les fruits du cannelier-casse qui entrent dans la préparation de saumures orientales.

Les cannelles sont très utilisées dans la cuisine asiatique et les plats du Proche-Orient : tajines marocains, caris indiens, mélanges d'épices ; elles accompagnent également le riz. En Europe, elles sont réservées aux desserts : compotes de poires ou de pommes, ou même chocolat. Le vin chaud additionné de cannelle et de sucre est particulièrement apprécié en hiver. Lorsqu'elles sont moulues et réduites en poudre, les écorces de cannelle s'éventent rapidement.

L'huile essentielle, qu'on obtient par distillation, a une couleur jaune doré et contient du phénol, très utile pour soigner les grippes ou les rhumes par inhalation. Il faut environ 100 grammes d'écorce pour obtenir de 1 à 3 grammes d'essence de cannelle.

Gingembre et cardamome : épices d'amour

On a presque toujours attribué à la majorité des épices des propriétés aphrodisiaques, et le gingembre comme la cardamome continuent de bénéficier largement de cette réputation.

Originaire de l'Asie du Sud-Est, le gingembre, cultivé depuis plus de 3 000 ans, fut une des plus anciennes épices à atteindre le pourtour méditerranéen. Les premières utilisations de ce rhizome étaient essentiellement médicales comme l'indique son nom savant : *Zingiber officinale*. Sa réputation de lutte contre le vieillissement et d'aphrodisiaque est ancienne. On dit que les Portugais en nourrissaient abondamment leurs esclaves pour favoriser leur taux de fécondité et améliorer ainsi leur rentabilité. À la fin du XIXe siècle, les pharmaciens élaboraient des « pastilles de sérail » à base de gingembre. Il constitue encore de nos jours un des ingrédients majeurs d'un plat traditionnel japonais servi le jour de la fête de la virilité. Les mêmes propriétés lui sont attribuées par les Chinois : les crevettes marinées dans du vin jaune, du vinaigre, du gingembre et de la ciboule constituent, paraît-il, une recette infaillible contre la stérilité et la frigidité féminine.

Mais le gingembre est aussi très apprécié pour sa saveur piquante et boisée. Les gingembres confits servent à la préparation des *sushis* japonais ; saupoudrés de sucre, ils sont un dessert de choix en Chine. Les pays scandinaves et anglo-saxons en font également une forte consommation : 10 fois supérieure à la nôtre. Moulu, il parfume des biscuits de toutes sortes et surtout des boissons parmi lesquelles la bière, plus connue sous le nom de *ginger-ale*. On peut même trouver des chewing-gums au gingembre.

Ci-dessus :
RÉCOLTE DU GINGEMBRE À COCHIN, INDE.

Facile à cultiver, le gingembre se plante en mars dans un sol bien drainé. Environ six mois plus tard, on déterre la plante pour n'en garder que la racine lavée et mise à sécher un jour ou deux. Lorsqu'on décortique le rhizome, on obtient un gingembre foncé et frais, consommé dans les pays asiatiques. Si la récolte a lieu plus tardivement, le goût en est plus piquant, l'aspect plus sec, la chair plus fibreuse ; il est alors vendu en morceaux. Mais on peut également le faire macérer dans une saumure, puis le mettre à tremper dans du sirop pour obtenir le gingembre confit.

Ci-dessous :
PLANTATION DE
CARDAMOME DANS LE
KÉRALA, INDE.

Le gingembre de la Jamaïque est le plus réputé, même si l'Inde et la Chine en sont les premiers exportateurs.

De la même famille botanique que le gingembre, la cardamome n'est pas exploitée pour sa racine, mais pour ses fruits qui renferment des graines noires à la saveur camphrée et chaude. On récolte les fruits avant maturité puis on les fait sécher au soleil ; les gousses vertes du Sud de l'Inde sont particulièrement prisées. Mais on peut également les blanchir au dioxyde de soufre. La cardamome (*Elattaria carda-momum*) est une des trois épices les plus chères au monde ; aussi les graines d'autres espèces d'*Amomum* originaires du Népal ou de Chine servent-elles de substituts à celles de la véritable cardamome.

Dans l'Antiquité, les graines de cardamome étaient beaucoup utilisées dans les parfums (on les mélangeait avec de la cire, puis on en garnissait l'intérieur de coquillages agrafés dans les cheveux ou sur les vêtements), et comme désodorisant de l'haleine après un repas trop aillé. Actuellement, elles sont un composant essentiel de nombreux mélanges d'épices indiens. Au Moyen-Orient, on les verse dans le café pour l'aromatiser. Dans la culture bédouine, on présente à son hôte les graines de cardamome avant de les introduire dans le bec de la cafetière.

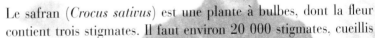

SAFRAN ET CURCUMA : DES ÉPICES DORÉES

Le safran (*Crocus sativus*) est une plante à bulbes, dont la fleur contient trois stigmates. Il faut environ 20 000 stigmates, cueillis à la main en automne, pour obtenir 120 kilos de safran, ce qui fait de cette plante l'épice la plus chère du monde. Cette récolte délicate est représentée sur une fresque du palais de Cnossos en Crète. Originaire d'Asie Mineure, le *Crocus sativus* s'est implanté en Europe et dans le bassin méditerranéen : en Grèce, en France (notamment dans le Gâtinais), en Turquie et au Maroc ; l'Espagne est le plus gros producteur de safran ; la variété de Valence est particulièrement appréciée.

La mythologie raconte que le dieu Hermès jouait au disque avec son ami Crocos lorsqu'il le blessa mortellement au front. Son sang répandu sur le sol donna naissance à la fleur du *Crocus sativus*. En persan *safra* signifie jaune, et c'est surtout pour sa couleur vive que le safran est apprécié ; il est utilisé depuis des millénaires dans la teinture des tissus.

La gastronomie européenne a un peu abandonné l'usage du safran à l'époque moderne, mais il apporte toujours une note colorée à quelques plats traditionnels comme la bouillabaisse provençale ou la paella valencienne. Il parfume également le pain.

Le curcuma, appelé aussi vulgairement safran des Indes, appartient à la même famille de plantes que le gingembre et la cardamome ; sa racine orangée est mise à sécher avant l'exportation et prend une teinte jaune

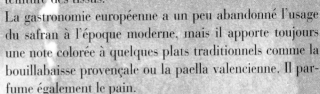

dorée. Il est surtout cultivé en Asie, en Amérique du Sud et en Inde. Utilisé pour colorer les étoffes, comme les robes des moines bouddhistes, le curcuma est aussi très apprécié des jeunes filles tamoules qui s'en imprègnent les mains et les pieds lors de leurs

fiançailles. Il sert également à confectionner des masques de beauté dans toute la péninsule indienne.

Rizhome aux vertus magiques, le curcuma se porte en amulette dans le Pacifique, ou se plante au milieu des rizières pour favoriser les récoltes.

D'un goût plus aromatique que le safran, il relève de sa saveur poivrée de nombreux mélanges d'épices et sert de base aux caris.

GIROFLE ET MUSCADE, PERLES DES MOLUQUES

Les Européens ont longtemps cherché les terres de plantation de la muscade et du clou de girofle et n'ont découvert les Moluques qu'à la fin du XVe siècle.

Épices onéreuses, ces deux plantes ont été à l'origine de luttes sanglantes entre les grandes compagnies commerciales. Les Hollandais, qui voulaient conserver le monopole du clou de girofle, détruirent tous les plants des Moluques excepté dans les îles d'Amboine et de Ternate sur lesquelles ils enfermèrent les indigènes dans de véritables prisons et les firent garder par des bêtes sauvages. Il a fallu toute l'ingéniosité de Pierre Poivre pour que la culture de la muscade et du girofle se répande au-delà de l'Indonésie

Le clou de girofle (*Eugenia carophylla*, famille des myrtacées) à l'arôme chaud dégage un goût légèrement piquant. Les personnalités présentées à l'empereur de Chine au IIe siècle avant notre ère étaient obligées de mâcher des clous de girofle avant de s'adresser au Fils du Ciel afin de ne pas l'incommoder par une haleine fétide. Au Moyen Âge, on piquait une orange de clous de girofle, puis on fixait à sa ceinture cette « pomme d'ambre » pour combattre les mauvaises odeurs et les épidémies de peste. Grand arbre des régions tropicales maritimes, le giroflier peut atteindre près de 15 mètres de hauteur et arrive à maturité après vingt ans. Ses fleurs jaunes sont cueillies à l'état de boutons. Ces derniers, de couleur rose, ressemblent à de petits clous, d'où leur nom de clous de girofle. Ils sont mis à sécher sur des toiles de sac étendues au soleil et les femmes les surveillent et les retournent régulièrement jusqu'à ce qu'ils prennent une teinte brune. Ils dégagent alors un peu d'huile très odorante lorsqu'on les presse.

Actuellement, il ne reste presque plus de girofliers aux Moluques. Les principaux producteurs sont les îles de Zanzibar et de Pemba

Ci-dessus :
CLOU DE GIROFLE.

(10 000 tonnes de clous par an environ), mais l'arbre s'est bien implanté dans le reste du monde. Outre l'Indonésie, on le trouve à Madagascar, aux Seychelles, à la Réunion, aux Antilles et en Guyane.

Très apprécié pour la saveur dont il parfume les plats, le clou de girofle fait partie du mélange d'épices indien appelé le *garam masala* ; en France,

Ci-dessus :
NOIX DE MUSCADE.

on l'utilise notamment dans les plats mijotés. En Indonésie, les cigarettes sont composées de tabac et de clous de girofle.

La noix et la fleur de muscade sont deux épices distinctes issues du même arbre, le *myristica fragans* de la famille des myristicacées.

Pour se développer le muscadier doit bénéficier d'un climat favorable (tropical-maritime) et d'un sol volcanique. On le trouve aux Moluques, mais il est aussi cultivé au Sri Lanka, en Malaisie et aux Antilles. L'île de Grenade aux Antilles produit près de 40 % de la consommation mondiale. Seules les fleurs des arbres femelles fécondées donnent des fruits qui arrivent à maturité environ 6 mois après la floraison et sont ramassés lorsqu'ils sont tombés au sol. On sépare alors les noyaux – qui contiennent les noix – de la fleur, rouge-orangé, qu'on appelle le macis.

Les macis sont mis à sécher sur des nattes pendant quelques heures avant d'être moulus. Ils entrent dans la composition de sauces comme la béchamel, de soupes et de desserts.

Les noyaux sont séchés pendant plusieurs semaines : on ouvre alors leur coquille pour en recueillir les noix, d'aspect ridé, qui sont triées selon leur taille et leur poids. On les trempe souvent dans la chaux pour éviter la germination ou les protéger des vers. Les noix sont très dures et on peut soit les moudre avec un moulin à café, soit les râper. Aux XVIIe et XVIIIe siècles, chaque convive se présentait à un dîner avec sa propre râpe faite d'os, de bois ou en argent.

On fait beaucoup plus appel à l'arôme très riche des fruits du muscadier en Europe qu'en Asie. Ils servent à aromatiser la purée de pommes de terre, les légumes, les pâtes ou les vermouths.

Les médecins orientaux utilisent largement la muscade pour soigner les affections bronchitiques ou les rhumatismes. Mais on sait également que ses propriétés hallucinogènes ne sont pas sans danger : la noix de muscade entre dans la composition de l'ecstasy, drogue dangereuse.

LE CUMIN

Ombellifère cultivée en Égypte, en Afrique du Nord, en Europe méridionale et en Asie, le cumin, souvent confondu avec le carvi, produit des graines brunes ou noires au goût amer et piquant. Élément essentiel des caris indiens et des garam masalas, le cumin dégage également sa saveur chaude dans les couscous maghrébins et les chili con carne mexicains. En Inde, on a aussi recours au cumin dans les médications destinées à faciliter la digestion.

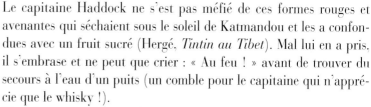

Pages suivantes:
RÉCOLTE DU PIMENT
DANS LE GUJERAT, INDE.

Le capitaine Haddock ne s'est pas méfié de ces formes rouges et avenantes qui séchaient sous le soleil de Katmandou et les a confondues avec un fruit sucré (Hergé, *Tintin au Tibet*). Mal lui en a pris, il s'embrase et ne peut que crier : « Au feu ! » avant de trouver du secours à l'eau d'un puits (un comble pour le capitaine qui n'apprécie que le whisky !).

Plus d'un touriste imprudent s'est laissé prendre à l'aspect rouge des piments. Les Aztèques, pour qui ils constituaient un aliment indispensable, connaissaient bien leur brûlure et les utilisaient également comme moyen de torture.

On compte environ 200 espèces de piments qui appartiennent tous à la famille des solanacées (comme la tomate ou le tabac). Les graines des fruits, qui contiennent de la capsaïcine font la force des piments dont l'ardeur varie selon la maturité ou l'espèce. Leur goût est tellement brûlant que les Espagnols qui, les premiers, découvrirent les piments mexicains les appelèrent poivre (*pimienta*).

Originaires de l'Amérique du Sud, de l'Amérique centrale et des Antilles, les piments créèrent la surprise chez les premiers botanistes qui s'étonnaient que « les habitants des îles et les Indiens les consomment comme nous mangeons des pommes ». Contrairement aux Européens qui n'utilisent les piments qu'avec une prudente modération, l'Asie, l'Afrique et le Proche-Orient leur consacrent une place de choix dans leur gastronomie. L'Inde, la Chine, l'Indonésie et, bien sûr, le Mexique comptent parmi les plus gros producteurs.

On reconnaît essentiellement deux sortes principales de piments issus de la même espèce : le *capsicum annuum* et le *capsicum frutescens*, qui l'un comme l'autre ont besoin de chaleur et de soleil ; ils poussent dans les zones tropicales et tempérées chaudes.

- Le *capsicum annuum* est une plante vivace de 30 cm à 1 mètre de haut, qui donne essentiellement des piments doux, notamment les poivrons. Fruits charnus, larges, les poivrons passent du vert au jaune, puis enfin au rouge vif en mûrissant. Plus ils sont mûrs, plus les poivrons prennent une saveur douce et sucrée à l'inverse des piments piquants. Ils sont surtout appréciés pour leur chair, on les consomme crus dans les salades ou pour les brochettes, mais ils sont également très savoureux lorsqu'ils sont grillés. Dans le Midi de la France, les poivrons sont le plus souvent cultivés sous abri chauffé afin d'accroître le volume des récoltes.

Très utilisé en Hongrie, le *tetragonum* (*C. annuum*), piment semi-doux, est séché à l'air ; après sa dessiccation et sa pulvérisation, il donne une poudre rouge assez piquante : le paprika. Ce dernier peut être doux si l'on utilise seulement les grains du fruit ou fort s'il est fait à partir du piment séché en entier. Bien que le nom soit d'origine polonaise, le paprika est une des composantes principales du goulash, sorte de ragoût de bœuf, plat national hongrois.

En Espagne, on cultive de nombreux poivrons : *noras*, *romescos* et *chorecicos* qui colorent et parfument diverses spécialités : les saucisses qu'on nomme *chorizo*, ou la sauce *moresco* (mauresque) qui sert pour les poissons.

En Grèce et en Turquie, on sert certains piments doux à l'apéritif ; ils ont été préalablement conservés dans une saumure et ont une jolie couleur jaune.

- Le *capsicum frutescens* donne des fruits beaucoup plus brûlants et de formes variées : quelquefois ils ne sont pas plus gros qu'une olive, d'autres fois ils ressemblent à une flèche ou peuvent évoquer un cœur. Le langage antillais, très imagé, a nommé l'un d'eux

« bouda à Mam Jacques » qu'on peut traduire par « les fesses de
madame Jacques » ; on imagine alors parfaitement son aspect ; les
Antillais parlent aussi du zosio pour désigner un piment guère plus
gros qu'une langue d'oiseau ; une autre variété est dite
piment-cerise. La variété des noms de ces piments
enragés d'ailleurs est innombrable : *lombock*
d'Indonésie, *harabanero* antillais, *japableno* et *ancho*
mexicain, ou *pili-pili* africain...
Les piments de Cayenne gardent une réputation de
« brûle-gueule » qui caractérise parfaitement le
piquant de leur saveur.
Condiments essentiels, on les trouve dans les *chutneys*
indiens ou les achards réunionnais en conserve, ils
composent également la base de nombreuses sauces
typiques que l'on trouve maintenant aisément dans
le commerce : la *harissa* qui accompagne les couscous nord-africains ou les tajines, est un mélange
d'ail, de sel, de carvi, de cumin, de graines de
coriandre, de feuilles de menthe séchées, d'huile
d'olive et de piments rouges secs ; le *tabasco* est une
sauce fluide à base de vinaigre, de sel et de piments
rouges qui ont mûri en fûts de chêne. Mis au point en
Louisiane, le *tabasco* se sert avec des pâtes, pizzas,
œufs... ; le *sambal* typiquement indonésien, accommode les viandes et les poissons ; son goût est particulièrement fort.
Entiers, moulus et réduits en poudre, coupés en morceaux, les piments enflamment de nombreux plats.
Riches en vitamines A et C, ils pallient les carences des pays
pauvres en alimentation carnée. Les piments sont, en outre, recon-
nus pour faciliter la digestion à condition de ne pas en abuser car
ils peuvent provoquer des brûlures d'estomac. Il est également
nécessaire de bien se laver les mains après les avoir manipulés.

L'ARÔME
AUX CINQ PARFUMS

*L'arôme aux cinq parfums est
sans doute le mélange chinois
le plus connu : il comprend
cinq ingrédients principaux :
anis étoilé, fagara, cannelle,
graines de fenouil, clous de
girofle ; mais on peut y ajouter
les épices suivantes : gingembre, racines de réglisse ou
cardamome. Cette prépara-
tion, dont tous les éléments sont
mêlés et moulus, est une des
composantes essentielles du
fameux canard laqué qui se
déguste selon un véritable rite.
Dans la pure tradition pékinoi-
se, on mange seulement la peau
rôtie et grillée du canard et la
viande est laissée pour compte.*

LA VANILLE : SAVEUR À LA MODE

La *vanilla planifolia*, variété d'orchidée, originaire d'Amérique centrale, pousse dans les forêts tropicales. Elle a la forme d'une liane qui s'accroche aux arbres ; la vanille porte des fleurs d'un jaune-vert et des gousses vertes qui renferment des graines et mesurent entre 10 et 15 centimètres. Après leur cueillette, les fruits sont plongés dans l'eau bouillante, puis séchés au soleil où ils prennent une teinte marron et se couvrent de cristaux blancs : la vanilline. C'est la vanilline qui donne au fruit son goût sucré et suave.

Les tentatives de culture de la vanille en dehors de sa région d'origine n'ont abouti qu'au XIXᵉ siècle, lorsqu'on a mis au point un procédé de pollinisation artificiel. L'arbre est maintenant cultivé au Mexique, à Madagascar et à la Réunion. Les Aztèques aromatisaient le chocolat avec de la vanille et ces deux saveurs ont rapidement conquis le Vieux Monde. Actuellement la vanille est partout : glaces, yaourts, pâtisserie, petits pots pour bébés, parfums... À tel point que le fruit naturel, très onéreux, ne suffit pas à la demande. On a donc largement recours à la vanille synthétique qui couvre 90 % des utilisations, la vanille véritable étant réservée aux produits de luxe. Madagascar est le principal producteur mondial de vanille.

Ci-dessus :
GOUSSE DE VANILLE.

Les épices à toutes les sauces

Pages suivantes :
MARCHAND D'ÉPICES
AU RAJASTHAN.

Ci-contre :
SAFRAN DILUÉ DANS DE
L'EAU CHAUDE.

Chaque pays, chaque culture possède ses mélanges d'épices qui caractérisent ses habitudes culinaires. L'Asie surtout est le temple des épices : la plupart d'entre elles en sont originaires et le riz, aliment de base quotidien, a besoin d'être relevé et varié. Sur le continent américain, piments et vanille ont apporté des vitamines essentielles à une alimentation pauvre.

INDE : LE CARI DICTE SA LOI

L'Inde est marquée par la variété des climats et des ethnies qui la composent et surtout par ses religions diverses. Entre les musulmans, à qui le porc est interdit, et les hindous végétariens, la cuisine de la péninsule indienne se caractérise par une grande diversité de mets et de mélanges d'épices aussi nombreux qu'originaux. Tous les marchés regorgent de gros sacs remplis d'épices aux couleurs vives.

FEUILLES DE FENUGREC.

Un bon cuisinier indien est avant tout un bon mélangeur d'épices (un *masalchi*), le terme de *masala* désignant tout mélange aromatique, en poudre ou en pâte. Des coutumes expriment bien l'importance des *masalas* : dans certaines parties de l'Inde, la jeune mariée se tient symboliquement sur la pierre à broyer les épices, ailleurs elle emporte avec elle le mortier et le pilon qui lui serviront à préparer les *masalas*. À chaque région, chaque milieu social ou chaque religion correspondent des *masalas* extrêmement différents ; le plus connu étant sans doute le cari, que l'on trouve plus particulièrement en Inde du Sud.

CARI INDIEN

Kari, cari, carry, curry (en anglais), c'est tout en un : le mot cari vient du tamoul et signifie sauce. Il n'existe aucune recette fixe de ce mélange d'épices dont les formules étaient jalousement gardées dans les familles. Chaque maîtresse de maison élabore son propre cari pour le plat particulier qu'elle désire préparer. Les épices les plus utilisées sont le curcuma (qui lui donne sa couleur jaune), le fenugrec et la coriandre, mais on peut y ajouter du gingembre, de la cardamome, de l'anis, du poivre, des piments... Généralement, les marchands d'épices préparent les mélanges à la demande de leurs clients. Chaque ingrédient est moulu à part, puis mélangé de façon à obtenir une poudre à l'odeur unique où aucune épice n'est particulièrement dominante ; le cari est préparé juste avant le repas. Il accompagne le plus souvent le mouton, l'agneau, les poissons ou les crustacés.

Les caris ont de nombreuses variantes et ne sont pas forcément brûlants, leur saveur dépend de leur composition. Chacun peut y trouver son plaisir et choisir parmi les différentes saveurs : très piquantes, semi-piquantes, semi-douces ou douces. Ainsi la poudre de Madras qui se sert avec de l'agneau ou du porc est-elle assez piquante, alors que celle de Ceylan utilise des épices plus douces. Le cari aromatise une spécialité indienne connue, « le canard de Bombay » qui, comme son nom ne l'indique pas, est un poisson blanc séché. Lors des repas, le riz n'est jamais directement mélangé au cari, l'un et l'autre sont apportés sur la table dans deux plats séparés. Voici un mélange de base semi-piquant : 6 piments rouges secs, 25 g de graines de coriandre, 2 cuillères de cumin. 1/2 cuillère de graines de moutarde, 1 cuillère de grains de poivre noir, 1 cuillère de grains de fenugrec, 1/2 cuillère de gingembre moulu, 1 grosse cuillère de curcuma.

La cuisine végétarienne du Sud utilise un mélange particulièrement fort, la poudre de Sambar, qui allie épices et pois chiches moulus pour relever les légumes. Le nord de l'Inde propose aussi des mélanges extrêmement divers dont le plus réputé est le *garam masala* qui peut comprendre de 3 à 12 épices, souvent grillées et utilisées entières. Au Penjab, il se compose de cannelle, laurier, cumin, coriandre, cardamome, poivre, girofle et fleurs de muscade, pour parfumer les volailles ou les sauces à l'oignon. Comme le cari, le *garam masala* peut être brûlant ou aromatique et il en existe des variantes régionales : *garam masala* du Cachemire ou *garam masala* moghol.

Les Japonais comme les Chinois accordent beaucoup d'importance
à la présentation des mets, les couleurs et les saveurs se combinant
harmonieusement pour le plaisir des yeux autant que pour celui du
palais. L'art culinaire s'accompagne ici d'un véritable rite de
dégustation dont le déroulement est complexe. Contrairement à
l'Inde, ces deux pays ont des mélanges d'épices dont la composition est codifiée par des recettes.

La cuisine nipponne est plutôt douce. Sel, poivre, algues, moutarde constituent ses principaux condiments ; le *takamo tjume* (petit
piment rouge) apporte la note la plus chaude de ses sauces ; le
wasabi (épice au goût violent), en pâte ou moulu, est souvent
mélangé à la sauce de soja. Le gingembre, frais ou en conserve,
accompagne les poissons crus dont les Japonais sont friands. Le
sésame est aussi très présent, notamment pour la composition du
gomasio, mélange de graines de sésame et de gros sel, qui accommode le riz et les pommes de terre. Le mélange sept-épices
(*shichimi togarashi*) est posé sur la table pour parfumer les
potages, la viande grillée ou les nouilles, il allie la saveur forte de
la poudre de chili à des arômes plus doux (varech, zeste de man-
darine, pavot et sésame).

La cuisine chinoise, millénaire, privilégie une cuisson rapide et
garde à chaque aliment sa tonalité propre. Elle assaisonne les
mets avec des goûts tour à tour « amers, salés, aigres, pimentés et
doux » comme le chante un poème du IIIe siècle après J.-C. Les
Chinois utilisent abondamment le sésame, l'ail et l'anis étoilé,
épice au goût sucré rappelant celui du fenouil et de l'anis, com-
posante majeure de la sauce aux cinq épices. La sauce *hoisin*
combine douceur et chaleur en mariant légumes, ail, sucre, sel,
piment et sauce de soja.

La province du Sichuan, qui fournit le *fagara*, est réputée pour sa
cuisine particulièrement forte, mais aussi très diversifiée. Les cuisi-

niers de cette province revendiquent la composition de près de 5 000 plats qui font appel à 23 goûts différents combinant sous plusieurs formes les différentes saveurs.

Parmi les mets les plus fameux, citons le poulet Pang Pang. Ce dernier est servi froid, dans une préparation poivrée, accompagné de concombres et d'oignons. Les mélanges d'épices et d'aromates sont très divers et constituent parfois une spécialité du Sichuan : le goût « mala », très typique, associe piments, sel, vin, *fagara* et sert notamment à la fondue de Chongquinng ; le goût « piment grillé » allie des piments, du sel, du *fagara*, de la sauce soja, de la ciboule, du gingembre, du sucre, et accompagne essentiellement le poulet aux cacahuètes ; le goût « peau d'orange », légèrement sucré pour les entrées de viandes froides, comprend sel, sauce de soja, vinaigre, *fagara*, piments, gingembre, ciboule, sucre, huile de sésame, lie de céréale, peaux d'orange ; le goût « sucré-salé » utilise sucre, sel, poivre noir, *fagara* et éventuellement gingembre.

La cuisine de la région de Shangaï est beaucoup plus douce ; les aliments sont assaisonnés avec une sauce de soja, vin, anis étoilé et sucre ; les beignets de viande sont relevés avec une sauce à base de moutarde. Plus au sud, Canton préfère l'emploi de l'ail et les sauces aigres-douces. Les gastronomes pékinois ou mongols optent pour des saveurs plus acides. De nombreux condiments et des sauces accompagnent les viandes. Au moment du repas, on place sur la table des petits raviers remplis de pâtes de sésame, de vinaigre, de sauce aux crevettes et de coriandre, laissant à chacun le plaisir d'accommoder ses plats comme il l'entend.

Les cuisines chinoise et japonaise ont beaucoup influencé la gastronomie coréenne. Cependant les Coréens privilégient davantage les plats fortement épicés.

LE CARVI

Le carvi est également appelé « cumin des prés ». De la même famille aromatique que le persil, il produit des graines brunes qui distillent une odeur forte et une saveur piquante après avoir été séchées. Au Moyen Âge, on le mélangeait aux soupes et aux légumes secs. Il est très présent dans la cuisine d'Europe centrale dont il parfume les charcuteries et les fromages. Il existe également une liqueur, le kummel, aromatisé au carvi. Son huile essentielle sert à la fabrication de bains de bouche, de savons et de parfums.

Ci-contre :
MÉLANGE D'ÉPICES
CHINOISES.

71

ASIE DU SUD-EST : CARREFOUR GASTRONOMIQUE

Birmanie, Malaisie, Laos, Thaïlande, Cambodge, Philippines et Viêt-nam combinent les recettes chinoises, japonaises et indiennes. Le riz et le poisson constituent l'essentiel de l'alimentation de cette région, mais on y trouve également des volailles et des viandes. Le Viêt-nam emprunte à la Chine l'anis étoilé qui entre dans plusieurs compositions culinaires et son poulet au gingembre (*kay patkin*) relevé d'ail est très piquant.

On trouve plus de 25 *caris* violemment épicés (ils mêlent 12 à 13 épices différentes) en Thaïlande. Les sauces au poivre et aux piments fraîchement moulus y relèvent les soupes. Un des principaux condiments est le *trassi* : pâte de crevettes moisies. Le *trassi*, mélangé à diverses épices, est la base des *nam prick* qui accommodent les légumes cuits.

La cuisine birmane est également riche en *caris*, dont la violence est tempérée par le lait de coco.

À Bali, on trouve les assaisonnements les plus ardents, le *tabia bun*, mélange de curcuma, de sésame, de laurier, d'oignon, d'ail, de gingembre et de racines indigènes. L'Indonésie s'est fait une spécialité des *sambals*, sauces pimentées qui privilégient la brûlure du *lombock*, un piment très fort.

ANIS ÉTOILÉ.

MAGHREB ET MOYEN-ORIENT : UNE CUISINE OTTOMANE

Lorsqu'on déambule dans les souks, la lumière tamisée et les fragrances des épices frappent nos sens. Chaque rue expose les produits des marchands d'épices dans de grands sacs ; sur les marchés, les vendeurs ne se séparent jamais de leurs balances et ils exposent à même le sol les épices les plus variées. La majorité des préparations sont relevées de poivre, de cumin, de carvi, de cannelle, de gingembre et de safran.

Le Maghreb est indissociable du couscous et des tajines, mets raffinés qui font appel à de subtils assaisonnements. Au XIIIᵉ siècle, Mohamed el Hassan el Baghdadi recensait plus de 100 recettes qui utilisaient safran, cumin, poivre, gingembre, cannelle, girofle, macis, cardamome, muscade... Il ne manquait que la toute-épice et le piment du Nouveau Monde pour parfaire l'art culinaire des pays musulmans.

Le couscous, plat caractéristique de la cuisine nomade, se compose de semoule et de légumes mijotés et s'accompagne de viande de mouton ou de poulet. Il en existe plusieurs sortes propres à chaque peuple ; le bouillon de légumes est en général assaisonné de poivre et de piment, de persil, de coriandre, de raisins secs et de safran : mais on peut y ajouter un condiment composé de piments rouges broyés, de cumin et de sel comme en Tunisie.

Les tajines, plats de viandes ou de poissons bouillis, sont relevés par des sauces plus douces qui mêlent gingembre, safran, poivre et herbes aromatiques. Mais on peut aussi les parfumer de harissa, sauce tunisienne aux piments, également utilisée comme condiment de table.

Le Maroc, pays de transition entre le monde nomade du Maghreb et les peuples urbains du Moyen-Orient, a une cuisine très étudiée.

RAZ EL HANOUT

Raz el hanout signifie « le meilleur » de la boutique car on confie généralement à l'épicier le soin d'élaborer lui-même le mélange. Condiment caractéristique de la cuisine marocaine, il allie des éléments aphrodisiaques, notamment des coléoptères réputés pour leurs propriétés revigorantes, des fleurs séchées (boutons de roses ou fleurs de lavande) à de nombreuses épices (environ quatorze). On le trouve dans les couscous, le riz ou les tagines, mais également dans une douceur à base d'amandes et de miel.

Pages suivantes :
MARCHAND D'ÉPICES À
ESSAOUIRA, MAROC.

Le Moyen-Orient marie également les saveurs sucrées et piquantes de façon subtile. En Égypte, on relève l'aliment de base, le haricot, avec une sauce pimentée. Le sumac, épice légèrement aigre, est très utilisé pour parfumer le poisson et les salades en Libye, Iran ou Turquie. Le Liban possède une cuisine raffinée ; qui ne connaît les épinards aux pois chiches légèrement relevés de cumin ?

Au Yémen, le *zhug* est un mélange d'épices qui combine ail et piments et qui est utilisé comme condiment de table (2 petits poivrons doux, 2 ou 3 piments rouges frais, 1 poignée de feuilles de

MÉLANGE D'ÉPICES.

coriandre, 1/2 cuillère de coriandre moulue, 6 gousses d'ail, graines de cardamome vertes, jus de citron).

Les émirats du golfe Persique ont une spécialité plus ardente, le *baharat* (avec paprika et piments), pour relever les viandes et les légumes.

L'AFRIQUE NOIRE :
TERRE D'ADOPTION DES ÉPICES LOINTAINES

Le piment rouge américain a conquis ce continent, notamment le Mozambique, comme le maïs y a remplacé le mil ; le *pili-pili* est l'épice la plus couramment utilisée ; viennent ensuite le curcuma et le poivre noir originaires d'Asie, le clou de girofle et la vanille. Aussi les Africains n'ont-ils recours aux épices indigènes que localement. Leur cuisine est très proche de la cuisine antillaise.
L'Éthiopie, pays d'une grande originalité culinaire, a une spécialité, le *berberé*, pâte rouge enflammante, qui accompagne les plats mijotés (*wat*) mais dont les recettes sont transmises par la tradition orale et varient d'une famille à l'autre. L'Éthiopie a également recours à une matière grasse originale, le *niter kebbeh*, beurre travaillé avec du curcuma, de la cannelle, de la noix de muscade, du gingembre, du basilic et de la cardamome...
Le *foutou*, sorte de pain à base d'igname et de racine de manioc, est un plat traditionnel épicé différemment selon les régions. En Côte-d'Ivoire, il sert à la dégustation de la viande de bœuf longuement marinée dans une sauce qui mêle légumes locaux, piments frais et poivre. Cari, piment, ail sont des ingrédients indispensables à la préparation du porc sénégalais. Le Zaïre consomme beaucoup de moutarde blanche, tandis que le plat national camerounais, le *n'dolé*, est un ragoût de viandes et de légumes particulièrement corsé.
Le fenugrec et la coriandre ont davantage les faveurs de l'Afrique orientale qui privilégie une cuisine plus douce.

Les Amériques : deux façons de pimenter les plats

Le sud du continent américain est également dominé par le piment, l'enragé de Cayenne et la toute-épice présents sur chaque table et qui relèvent le manioc et le maïs. La richesse en vitamines de ces épices pallie des carences alimentaires. Le piment peut être mélangé à de l'huile d'olive ou de *dendé* (issue du palmier), proposé entier ou moulu. On le trouve notamment dans un mets ancestral, le *tamales*, base de l'alimentation amazonienne, fait de semoule de maïs, de porc, de piments enrobés dans une feuille de banane.

La gamme des saveurs est également très étendue : un des plats traditionnels chilien est le gratin de maïs parfumé au cumin. Beaucoup plus chauds sont les *chilis* mexicains qui enflamment les ragoûts à base de haricots rouges et de viande, comme par exemple le *chili con carne* qui relève le bœuf avec des oignons et des épices, parmi lesquelles le piment *jalapeno*. Le Mexique a aussi la spécialité de la sauce *molé*, légèrement aromatisée au chocolat et à la vanille mais très relevée par les piments, le poivre, le sésame, l'ail, le girofle, l'oignon et la tomate : un mélange étonnant. Dans le commerce, on trouve désormais des sauces prêtes à la vente sous l'appellation de *salsas* mexicaines. Très épicées, ces sauces se commercialisent selon un mode *hot* ou doux et peuvent accommoder tous les plats cuits.

En Amérique du Nord, la majorité des mélanges d'épices sont directement vendus dans les centres commerciaux : leurs recettes, marques déposées par de grandes firmes, ne sont pas divulguées. Les *fast food* ont envahi les grandes cités et les hamburgers ont détrôné les plats mijotés et épicés importés par les émigrants anglais et hollandais. Le ketchup comme le *tabasco* sont des mélanges d'épices très couramment employés. Les Américains ont cependant mis au point des combinaisons assez douces, le plus souvent à base de paprika ou de baies de genièvre, pour parfumer les grillades dont ils sont friands. Ils raffolent également des goûts sucrés et suaves tels ceux de la cannelle et de la vanille qui envahissent les entremets. Néanmoins, quelques enclaves perpétuent des traditions culinaires originales : les *chinatowns* qui proposent des mets cantonnais, ou l'état du Nouveau-Mexique. La Louisiane, très influencée par la cuisine créole, utilise abondamment le mélange *cajun* (ail, oignon, paprika, poivre, cumin, moutarde, piment, sel et herbes) qui assaisonne les plats mijotés (*gumbos*) et le riz.

Au Canada, l'héritage gastronomique du Vieux Monde est toujours très présent.

CHILI CON CARNE.

Les Antilles : la cuisine créole, riche d'invention, marie les influences africaine, indienne et les créations locales. Parfois très violente (le féroce d'avocat porte bien son nom) à cause des piments, souvent doucement parfumée grâce à la vanille, elle présente une grande variété de mets : caris pour accompagner les viandes, gingembre et rhum pour les volailles, sauces ardentes d'origine africaine pour les poissons et les crustacés : la poudre de *combo*, base de nombreux plats, est en réalité une pâte faite de moutarde, d'ail, de piments, de curcuma et de coriandre.

EUROPE : ENTRE TRADITION ET MODERNITÉ

Les pays de l'Est et du Nord ont gardé l'empreinte de recettes épicées très anciennes. Ils compensent souvent leur manque de variété en légumes par une abondance d'épices : les ragoûts, comme le *goulasch* ou le *borchtch* à base de betteraves, sont relevés par des épices variées. Dans toute l'Europe centrale, le pain de seigle est parfumé aux graines de sésame, de carvi, de cumin ou de pavot. Les pays germaniques utilisent beaucoup d'épices pour leur charcuterie, très prisée. Les pays scandinaves proposent les harengs à toutes les sauces (gingembre, moutarde, poivre...) et ont largement recours au girofle ou à la muscade pour leurs desserts.

L'Europe occidentale préfère les fines herbes aux épices. Toutefois, les saveurs douces sont toujours sollicitées. Ainsi, l'Italie utilise peu les piments, sauf pour les sauces à l'huile d'olive destinées à relever les pâtes ou les pizzas, mais se sert régulièrement de l'ail, de la cannelle, de la vanille ou du safran. Le gingembre entre également dans quelques préparations particulières, par exemple le *pollo alla diavola* (poulet à la diable) florentin. L'Espagne comme la France apprécie le safran, production locale, et les poivrons. Le Portugal connaît les *caris* et les piments forts.

La Grande-Bretagne subit l'influence des pays anciennement colonisés et la tradition médiévale européenne. Tout le monde connaît les *pickles* ou la *Worcestershire sauce* qui accompagne les rôtis. Les *caris* ou les *chutneys* témoignent de l'influence indienne. Mais les épices restent surtout employées dans la pâtisserie, tel le *bram back* servi pendant la fête d'Halloween, et composé de noix de muscade, cannelle, clous de girofle et toute-épice. La confiture de gingembre fait également concurrence à la traditionnelle marmelade.

LE SÉSAME

Plante issue d'Afrique et des zones tropicales, le sésame était à l'origine utilisé pour l'huile extraite de ses graines qui entre maintenant dans la composition de la margarine. Non décortiquées, les graines brunes ont un léger goût de noisette et aromatisent pains et pâtisseries au Proche-Orient et en Europe. Moulues, elles constituent une friandise très appréciée, la halva, ou servent également de base à la sauce tahina (mélange de sésame, de citron et d'ail) qui accommode les légumes.

Carnet pratique

Recettes

Salade de chou-fleur à la harissa
(Entrée tunisienne ou amuse-gueule)

POUR 4 PERSONNES :
- UN DEMI CHOU-FLEUR
- 2 POMMES DE TERRE NOUVELLES
- 1 CUILLERÉE À CAFÉ DE HARISSA
- 1 CUILLERÉE À CAFÉ DE POUDRE DE CARVI
- 1/2 CUILLERÉE DE CORIANDRE MOULUE
- 2 CUILLERÉES À SOUPE D'HUILE D'OLIVE
- JUS DE CITRON
- SEL

PRÉPARATION : 30 MINUTES

Éplucher les pommes de terre. Les mettre avec le chou-fleur dans une casserole remplie d'eau salée. Faire cuire jusqu'à ébullition, puis laisser cuire à feu moyen pendant une vingtaine de minutes. Égoutter ensuite les légumes.
Délayer la harissa avec un peu d'eau. Verser dans un saladier : la harissa, la coriandre, le carvi, l'huile et le jus de citron. Mélanger.
Couper les pommes de terre en rondelles et le chou-fleur.
Verser les légumes dans le saladier.
Servir frais.

Salade de pommes de terre au sésame
(Moyen-Orient)

POUR 6 PERSONNES :
- 1,5 KG DE POMMES DE TERRE NOUVELLES
- 1 GOUSSE D'AIL
- 5 GROSSES CUILLERÉES DE PÂTE DE SÉSAME
- JUS DE CITRON
- PERSIL
- SEL
- POIVRE

PRÉPARATION : 45 MINUTES

Mettre les pommes de terre épluchées dans une casserole remplie de gros sel et les faire cuire environ 3/4 d'heure ; les pommes de terre doivent être fermes. Dès qu'elles sont cuites, les couper en rondelles et les placer dans un saladier. Hacher l'ail en prenant soin d'en retirer le germe, le mettre dans un bol. Ajouter du jus de citron, de l'eau et la pâte de sésame. Remuer délicatement puis ajouter le sel et le poivre. Hacher le persil et l'incorporer au mélange. Verser sur les pommes de terre. Servir tiède pour accompagner un poisson.

Crème d'avocat
(Entrée)

POUR 6 PERSONNES :
- 6 AVOCATS MÛRS
- 2 TOMATES MÛRES
- 2 PETITS OIGNONS
- JUS DE CITRON
- SEL
- POIVRE
- PAPRIKA

PRÉPARATION : UNE DEMI-HEURE

Faire blanchir les tomates, puis les peler et les épépiner. Éplucher les avocats, les couper en morceaux ; éplucher les oignons et les émincer. Dans un mixer, mettre les morceaux d'avocats, l'oignon et les tomates. Mélanger le tout. Lorsque la pâte est onctueuse, l'arroser du jus de citron ; saler et poivrer. Mélanger. Mettre la crème au réfrigérateur. Au moment de servir, saupoudrer de paprika.

Crabes farcis
(Recette créole et africaine)

POUR 4 PERSONNES :
- 4 TOURTEAUX
- 50 G DE RIZ
- 2 GROS OIGNONS BLANCS
- 2 TOMATES
- 2 CUILLERÉES À SOUPE DE VINAIGRE
- 1 CUILLERÉE À CAFÉ DE PILI-PILI MOULU
- 1 FEUILLE DE LAURIER
- 2 CLOUS DE GIROFLE
- JUS DE CITRON
- HUILE
- SEL
- POIVRE

PRÉPARATION : 1 HEURE

Ôter la peau de l'un des oignons et le piquer de clous de girofle. Remplir une grande cocotte d'eau poivrée et salée. Faire bouillir. Mettre alors l'oignon et les tomates et faire cuire environ 10 minutes. Retirer les tomates et verser le riz dans l'eau ; laisser cuire à feu doux pendant 15 minutes en remuant de temps en temps. Pendant ce temps, ouvrir les crabes ; séparer la chair du corail et placer le corail, arrosé de jus de citron, dans un ravier. Casser les pattes pour extraire la chair. Faire légèrement réchauffer la chair du crabe entre deux assiettes placées au-dessus d'une casserole d'eau bouillante.
Dans une poêle, mettre de l'huile et y faire brunir le second oignon finement haché, puis y ajouter les tomates cuites. Écraser le mélange avec le corail citronné, du sel, du poivre et la poudre de pili-pili, la sauce doit rester fluide.
Lorsque le riz est cuit, le mettre dans un plat creux, le couvrir de la chair des tourteaux et verser la sauce par dessus.

Thon à la sauce piquante
(Recette tunisienne)

Mélange cinq-épices tunisien

La malaguette complète un mélange d'épices tunisien pour l'accompagnement du mouton ou des légumes.
Cette composition ou mélange cinq-épices, qâlat daqqa, se compose comme suit :

- 2 CUILLERÉES À CAFÉ DE GRAINS DE POIVRE NOIR
- 2 CUILLERÉES À CAFÉ DE CLOUS DE GIROFLE
- 1 CUILLERÉE À CAFÉ DE GRAINES DE PARADIS
- 4 CUILLERÉES À CAFÉ DE NOIX DE MUSCADE RÂPÉE
- 1 CUILLERÉE DE CANNELLE MOULUE.

IL FAUT BROYER LE TOUT ET LE MÉLANGE PEUT SE CONSERVER QUATRE MOIS.

POUR 4 PERSONNES :
- 700 G DE THON FRAIS COUPÉ EN MORCEAUX
- HUILE
- JUS DE CITRON
- 4 GOUSSES D'AIL
- 1/2 CUILLERÉE À CAFÉ DE PAPRIKA
- 1/2 CUILLERÉE À CAFÉ DE HARISSA
- 1/2 CUILLERÉE À CAFÉ DE CORIANDRE MOULUE
- SEL
- POIVRE

PRÉPARATION : 30 MINUTES

Peler les gousses d'ail, en ôter le germe et les hacher finement. Mettre l'huile dans une cocotte. Lorsque l'huile est chaude, y faire revenir l'ail. Délayer la harissa dans un peu d'eau. L'incorporer dans la cocotte avec le jus de citron, la coriandre, le paprika, un peu de poivre et une petite cuillerée de sel. Mélanger le tout jusqu'à ébullition avant d'y mettre le thon. Couvrir la cocotte et faire cuire à feu doux pendant environ 20 minutes.

Melloukhia
(recette tunisienne)

POUR 6 PERSONNES :
- 1 KG DE PLATS DE CÔTES COUPÉS EN MORCEAUX
- 100 G DE MELLOUKHIA EN POUDRE QUE L'ON PEUT SE PROCURER DANS LES ÉPICERIES ORIENTALES
- 1 GOUSSE D'AIL
- 1 CUILLERÉE À SOUPE DE CORIANDRE MOULUE
- 1/2 CUILLERÉE À CAFÉ DE HARISSA
- HUILE
- SEL

PRÉPARATION : 3 HEURES ET DEMIE

Couvrir d'huile le fond d'une grande cocotte ; mettre à feu vif et ajouter la poudre de melloukhia. Bien remuer et verser sur le mélange 1,5 litre d'eau et les morceaux de viande.
Dès que le mélange arrive à ébullition, baisser le feu et laisser cuire 10 minutes en remuant.
Couvrir la cocotte et laisser mijoter 2 heures à feu très doux.
Peler l'ail, en ôter le germe, le hacher finement.
Délayer la harissa avec un peu d'eau et du sel.
Rajouter alors la coriandre, la harissa, l'ail dans la cocotte. Laisser cuire encore 1 heure.
Servir très chaud.

Psall ou Loubia
(cassoulet tunisien)

POUR 6 PERSONNES :
- 700 G DE VIANDE DE BŒUF UN PEU GRASSE, COUPÉE EN MORCEAUX
- 250 G DE HARICOTS BLANCS
- 4 MERGUEZ (FACULTATIF)
- 4 GROS OIGNONS BLANCS
- 5 GOUSSES D'AIL
- 1 VERRE D'HUILE
- 2 BRANCHES DE CÉLERI
- 2 GROSSES TOMATES RONDES
- 1 BÂTON DE CANNELLE
- 1 CUILLERÉE DE CORIANDRE EN POUDRE
- SEL, POIVRE

PRÉPARATION : 20 MINUTES
CUISSON : 3 HEURES

Verser l'huile dans le fond d'une grande cocotte. Peler les oignons et l'ail dont on aura ôté le germe. Les hacher finement et les faire brunir dans la cocotte. Ajouter les merguez coupées en morceaux et faire revenir quelques minutes avant de retirer la cocotte du feu et d'y verser 1,5 litre d'eau.
Éplucher les tomates et les écraser à la fourchette dans une assiette. Couper le céleri.
Dans la cocotte, mettre les haricots blancs, le céleri, les tomates écrasées, la cannelle et la coriandre. Poivrer. Bien mélanger le tout et faire cuire à feu vif jusqu'à ébullition avant d'ajouter les morceaux de viande. Couvrir et faire cuire à feu doux environ 1 heure et demie.
Enlever le couvercle de la cocotte et refaire mijoter une heure. Ajouter alors une cuillerée à soupe de sel, bien mélanger et laisser cuire encore une demi-heure. Servir chaud.

Foie au four
(plat tunisien)

POUR 4 PERSONNES :
- 800 G DE FOIE DE GÉNISSE EN UN SEUL MORCEAU
- HUILE
- 4 GOUSSES D'AIL
- JUS DE CITRON
- 1/2 CUILLERÉE À CAFÉ DE HARISSA
- 1/2 CUILLERÉE À CAFÉ DE PAPRIKA
- 1/2 CUILLERÉE À CAFÉ DE CORIANDRE MOULUE
- UN PEU DE PERSIL
- SEL, POIVRE

PRÉPARATION : 45 MINUTES.

Préchauffer le four (thermostat 8). Peler l'ail et en ôter le germe avant de le hacher finement.
Dans un plat allant au four, mettre l'huile, l'ail, la harissa, la coriandre, une pincée de sel, une pincée de poivre, le jus de citron. Bien mélanger avant d'y placer le foie et de l'arroser de sauce.
Couvrir le plat à gratin avec une feuille d'aluminium et mettre au four.
Après 5 minutes environ, baisser le thermostat du four (5), laisser cuire 20 minutes ; retourner le foie et laisser cuire à nouveau 20 minutes.
Retirer le plat à gratin du four. Couper le foie en tranches et le poser dans un grand plat.
Recouvrir de sauce et de persil finement coupé.
Servir chaud.

Tagine de mouton aux trois légumes
(plat marocain)

POUR 6 À 8 PERSONNES :
- 2 KG DE MOUTON COUPÉS EN PETITS MORCEAUX
- 2 OIGNONS
- PETITS POIS, CAROTTES, FONDS D'ARTICHAUT (EN SAISON, SINON DES SURGELÉS FONT TRÈS BIEN L'AFFAIRE) OU COURGETTES, CAROTTES, NAVETS
- 1 CUILLERÉE À CAFÉ DE GINGEMBRE
- RAZ EL HANOUT
- 1 CUILLERÉE À CAFÉ DE CURCUMA
- 1/2 CUILLERÉE À CAFÉ DE FLEUR DE SAFRAN
- 1 PINCÉE DE CUMIN
- DE LA CORIANDRE FRAÎCHE
- SEL, POIVRE FRAÎCHEMENT MOULU
- 1 CUILLERÉE À SOUPE D'HUILE D'OLIVE

PRÉPARATION : UNE DEMI-HEURE

Dans une cocotte, faire revenir dans l'huile d'olive, les oignons, la viande en morceaux et toutes les épices (sauf la coriandre).
Cuire à petit feu, surveiller pour que cela n'attache pas.
Incorporer les légumes : d'abord les carottes, puis les petits pois, enfin les fonds d'artichaut, le tout coupé en petits dés.
Faire cuire 2 heures. Quelques minutes avant de servir, ajouter la coriandre fraîche.

Tagine de poulet aux poires
(recette marocaine)

(Ce tagine peut également être réalisé aux pommes ou aux coings, comme vous voulez...)

POUR 6 À 8 PERSONNES :
- 2 KG DE POULET COUPÉS EN MORCEAUX
- 3 OIGNONS
- I CUILLERÉE À CAFÉ DE GINGEMBRE
- I CUILLERÉE À CAFÉ DE FLEUR DE SAFRAN
- I CUILLERÉE DE CANNELLE
- SEL, POIVRE
- I CUILLERÉE À SOUPE DE MIEL
- I CUILLERÉE À SOUPE D'HUILE D'OLIVE
- 6 À 8 POIRES
- I VERRE D'EAU

PRÉPARATION : UNE DEMI-HEURE.
CUISSON : I HEURE ET DEMIE.

Dans une cocotte, faire revenir et faire fondre les oignons dans l'huile d'olive.
Ajouter la viande en morceaux et toutes les épices (sauf la cannelle).
Ajouter l'eau et couvrir à feu doux pendant 45 minutes.
Réserver la viande.
Dans une poêle, faire dorer les poires coupées en quartiers.
Les mettre ensuite dans le jus du tagine pour donner le goût.
Incorporer la cannelle et le miel.
Faire cuire encore un quart d'heure à feux doux.
Puis faire réchauffer la viande quelques minutes.
Servir le tagine avec les poires sur le dessus.

Poulet aux cinq parfums
(recette chinoise)

POUR 6 PERSONNES :
- I KG DE BLANCS DE POULET
- 2 CUILLERÉES À CAFÉ D'ÉPICES AUX CINQ PARFUMS
- I CUILLERÉE À CAFÉ DE SUCRE
- I BONNE PINCÉE DE SEL
- POIVRE
- 3 CUILLERÉES DE SAUCE SOJA
- 1/2 BOUILLON DE VOLAILLE
- HUILE

6 HEURES DE MACÉRATION
CUISSON : I BONNE HEURE

Faire couper le poulet en morceaux par son boucher. Couvrir les morceaux avec le mélange d'épices aux cinq parfums et la sauce soja dans un grand saladier.
Faire macérer 6 heures environ.
Dans une cocotte, mettre l'huile et faire revenir les morceaux de poulet jusqu'à ce qu'ils soient cuits. Rajouter le sel, le poivre, le sucre et le bouillon.
Laisser cuire pendant une bonne heure.
Servir chaud.

Cari d'agneau
(recette indienne)

Cette recette, donnée par l'une de mes amies, indienne, ne précise pas les proportions exactes des épices : à chacun d'accommoder selon son goût. Cependant, environ une cuillerée à café de chaque épice, moulue, suffit.

POUR 6 PERSONNES :
- 1 KG DE VIANDE D'AGNEAU COUPÉE EN MORCEAUX, DE PRÉFÉRENCE DANS L'ÉPAULE
- 3 OIGNONS
- UN PEU DE GINGEMBRE EN POUDRE
- 1 GOUSSE D'AIL
- UN PEU DE CURCUMA
- UN PEU DE CUMIN
- UN PEU DE NOIX DE MUSCADE
- 1/4 DE LITRE DE LAIT DE COCO
- UNE BONNE PINCÉE DE SUCRE
- HUILE
- SEL

PRÉPARATION : 1 HEURE

Peler les oignons, les couper en petits morceaux ; ôter le germe de l'ail, émincer la gousse. Dans une cocotte, faire légèrement brunir les oignons dans un peu d'huile. Ajouter le gingembre et l'ail ; laisser cuire environ 5 minutes, puis mélanger les diverses épices, saupoudrer de sucre et laisser sur le feu 5 à 6 minutes. Verser les morceaux d'agneau dans le mélange, saler et couvrir la cocotte jusqu'à ce qu'une légère vapeur s'en échappe ; verser alors le lait de coco et laisser bouillir le tout environ 30 minutes. Servir avec du riz.

Cari de poulet
(recette pakistanaise)

POUR 6 PERSONNES :
- 1 KG DE BLANCS DE POULET COUPÉS EN MORCEAUX
- HUILE
- 2 OIGNONS
- 1 BÂTON DE CANNELLE
- 1 BONNE CUILLERÉE À CAFÉ DE GINGEMBRE MOULU
- 2 CUILLERÉES À CAFÉ DE CARDAMOME MOULUE
- 1 CUILLERÉE À CAFÉ DE CUMIN MOULU
- UN PEU DE SAFRAN
- 1 PIMENT DE CAYENNE SÉCHÉ ET MOULU
- DE LA CORIANDRE MOULUE
- 3 TOMATES MÛRES
- DU SEL
- 1 VERRE D'EAU

PRÉPARATION : 1 HEURE ET DEMIE

Dans une cocotte où vous aurez mis de l'huile, verser les oignons finement coupés, la cardamome et la cannelle. Laisser les oignons brunir, puis ajouter les autres épices et la coriandre. Couper les tomates en petits morceaux et les mettre dans la cocotte. Laisser cuire à feu très doux jusqu'à ce que les tomates soient fondues dans le mélange. Rajouter alors le poulet, l'eau ; saler et remuer. Laisser cuire pendant une heure.

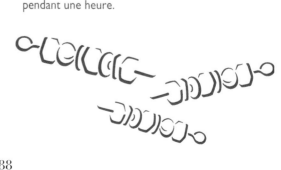

Morue antillaise
(plat créole)

POUR 6 PERSONNES :
- I KG DE MORUE
- 2 OIGNONS
- DU PERSIL PLAT
- 2 OU 3 PETITS PIMENTS DE CAYENNE
- I/2 LITRE D'HUILE D'OLIVE

PRÉPARATION : LA VEILLE, PLUS I HEURE
LE LENDEMAIN.

La veille, dessaler la morue dans de l'eau claire.
Renouveler l'eau plusieurs fois. Le lendemain,
préparer une marinade avec un demi-litre d'huile
d'olive, les oignons émincés, des brins de persil et
des piments coupés en tout petits morceaux.
Faire pocher la morue, en enlever les arêtes et la
couper en gros morceaux. Laisser refroidir et la
plonger dans la marinade pendant une demi-
heure. Servir tiède.

Lapin à la moutarde
(recette française)

Pour l'anecdote, le général de Gaulle
appréciait particulièrement ce plat.

POUR 4 PERSONNES :
- UN BEAU LAPIN COUPÉ EN MORCEAUX
- I TRANCHE DE LARD
- 2 CUILLERÉES À SOUPE DE MOUTARDE
- I BOUQUET GARNI
- I OIGNON
- 2 CUILLERÉES À SOUPE DE FARINE
- I VERRE DE BOUILLON
- I VERRE DE VIN BLANC
- 2 CUILLERÉES DE CRÈME FRAÎCHE
- MARGARINE
- SEL
- POIVRE

PRÉPARATION : I HEURE ET DEMIE

Couper le lard en dés et le faire revenir dans une
cocotte avec la margarine. Éplucher l'oignon et
l'émincer. Lorsque les lardons ont bien bruni,
ajouter l'oignon, le bouquet garni et le lapin. Faire
bien dorer le lapin. Ajouter la farine, le bouillon,
le vin blanc et la moutarde. Bien mélanger pour
obtenir une sauce homogène. Laisser cuire
doucement pendant une bonne heure à feu doux
en remuant de temps en temps. Avant de servir,
ajouter la crème fraîche et mélanger.

Bœuf au folo
(recette camerounaise)

Les feuilles de folo, au goût assez amer, peuvent être remplacées par des épinards.

POUR 4 PERSONNES :
- 700 G DE BŒUF COUPÉ EN MORCEAUX
- HUILE DE PALME
- 3 CUILLERÉES DE CONCENTRÉ DE TOMATES
- 500 G D'ÉPINARDS
- 2 OIGNONS
- 200 G DE PÂTE D'ARACHIDES
- PILI-PILI MOULU
- SEL

PRÉPARATION : UNE DEMI-HEURE
CUISSON : 4 HEURES

Recouvrir le fond d'une cocotte d'huile de palme ; lorsque l'huile est chaude, y faire revenir la viande avec les oignons coupés. Mélanger le concentré de tomates avec un peu d'eau et verser dans la cocotte. Faire mijoter à feu doux pendant environ 3 heures et demie.
Laver et éplucher les épinards et les faire cuire 15 minutes dans de l'eau bouillante salée. Les égoutter et les hacher avant de les joindre à la viande cuite. Recouvrir de pili-pili.
Ajouter également la pâte d'arachides délayée.
Laisser cuire encore 30 minutes. Servir chaud.

Salade d'orange
(dessert)

POUR 6 PERSONNES :
- 10 BELLES ORANGES
- 1 CUILLERÉE À CAFÉ DE FLEUR D'ORANGER
- 1/2 CUILLERÉE À CAFÉ DE CARDAMOME EN POUDRE
- 1 PINCÉE DE NOIX DE MUSCADE MOULUE
- 50 G DE SUCRE EN POUDRE
- EAU
- SUCRE GLACE

PRÉPARATION : UNE DEMI-HEURE

Laver les oranges, bien les peler en mettant de côté quelques zestes. Couper les oranges en rondelles, les mettre dans un saladier en les arrosant de fleur d'oranger et en les saupoudrant d'épices.
Verser l'eau et le sucre dans une casserole, mettre à feu doux. Découper les zestes réservés en fines lamelles et les mettre dans la casserole pendant 5 minutes environ. Sortir les zestes et les disposer sur le saladier. Saupoudrer de sucre glace. Servir frais.

Punch d'amour

POUR 14 PERSONNES :
- 500 G DE SUCRE
- 1 PETITE CUILLERÉE DE NOIX DE MUSCADE RÂPÉE
- 1 PINCÉE DE MACIS EN POUDRE
- 2 CUILLERÉES À CAFÉ DE GINGEMBRE MOULU
- 6 CLOUS DE GIROFLE
- 3 CUILLERÉES DE TOUTE-ÉPICE
- 1 CUILLERÉE DE CANNELLE
- 1/4 DE LITRE D'EAU
- 4 BOUTEILLES DE SHERRY SEC
- 12 ŒUFS

PRÉPARATION : UN QUART D'HEURE

Dans une casserole, mettre l'eau et incorporer le sucre et les épices. Ajouter le sherry et chauffer à feu doux.
Pendant ce temps, séparer les blancs des jaunes d'œufs. Bien mélanger les jaunes et battre les blancs pour les raffermir. Lorsque le liquide est tiède, y incorporer les blancs et les jaunes d'œufs.
Mélanger et servir.

Vin chaud

POUR ENVIRON UN LITRE DE VIN CHAUD :
- 3/4 DE LITRE DE VIN ROUGE
- 1/4 DE LITRE D'EAU
- ZESTE DE CITRON
- 80 G DE SUCRE
- DE LA CANNELLE MOULUE

PRÉPARATION : UN QUART D'HEURE

Dans une grande casserole, mettre tous les ingrédients et porter à ébullition. Dès que le mélange bout, éteindre le feu. Servir bien chaud. Idéal pour se réchauffer l'hiver, ou lorsque la grippe vous guette…

Les emplois figurés des mots épicés sont révélateurs : Voltaire parlait déjà d'un ouvrage poivré pour qualifier un écrit licencieux ; mais il aurait aussi bien pu dire pimenté ou épicé. De la licence à la grivoiserie et aux abus de table il n'y a qu'un pas et le poivrot désigne maintenant une personne qui boit trop d'alcool. Dans la langue

populaire le poivre, denrée de luxe, peut désigner une facture élevée : salée ou poivrée, au choix. Lorsqu'on moud du poivre, c'est que l'on est empêtré dans une affaire qui tourne mal. La forme de la poivrière de cuisine a inspiré l'architecture militaire et a donné son nom à un bâtiment au toit conique placé à l'angle d'un bastion. Le safran, qui donne son nom à une belle couleur jaune, a eu pendant longtemps d'autres acceptions. La couleur jaune symbolise également l'infidélité : aussi « être accommodé au safran » pouvait-il désigner l'état d'une femme ou d'un homme victime de l'adultère ; « en être au safran » signifiait une banqueroute prochaine. Quant à la muscade, elle était associée aux tours de passe-passe et d'escamotage d'artistes de foire à demi-filous dont le fameux « passez muscade ! » est encore utilisé.

Ces essences merveilleuses n'ont pas encore livré tous leurs secrets. Les mélanges infinis qu'elles proposent servent non seulement à la gastronomie mais entrent également pour une bonne part dans l'industrie pharmaceutique et la parfumerie.

De l'école de Salerne du Moyen Âge au Livre des Simples Médecins du XVe siècle, les drogues exotiques et les herbes demeurent le fondement des thérapies européennes jusqu'au XVIIIe siècle, à partir duquel les médecins empiriques laissent leur place aux savants. Le Livre des Simples Médecins se présente comme un herbier qui associe des dessins de plantes à leurs propriétés botaniques et médicinales supposées.

Ses prescriptions sont étonnantes et tentent de remédier à tous les maux et à toutes les « humeurs » ou affections grâce à des décoctions ou des cataplasmes variés :

- pour lutter contre la fièvre : boire un mélange de poivre noir et d'huile d'olive ;
- pour nettoyer un œil purulent : laver les yeux avec de l'eau de rose additionnée de poivre noir moulu ; ou chauffer ensemble un blanc d'œuf et de la poudre de cumin qu'on applique comme un emplâtre sur chaque paupière ;
- pour lutter contre le rhume ou le catarrhe : manger des figues fourrées de gingembre ; introduire dans les narines des graines de sénevé (moutarde) ; appliquer sur le visage des cataplasmes faits de laurier et de cumin ; avaler des pilules composées de gomme arabique et de poudre de sumac ;
- contre les flatulences : le vin cuit additionné d'épices est à la base de toutes les préparations ; on peut le mêler avec de la cannelle, du cumin et du gingembre, des clous de girofle avec du fenouil, de la noix de muscade ou du carvi ;

- contre les douleurs d'entrailles : tremper une éponge dans un mélange de vinaigre, de poudre de cardamome, de menthe et d'eau salée, puis appliquer l'éponge sur l'estomac ; ou cuire de l'ail dans de l'huile pour en faire un emplâtre qu'on peut poser sur le ventre ;
- pour les affections féminines : un suppositoire fait de poudre de sumac, mastic et jus de plantain apaisera les « fleurs » (règles) douloureuses ; la cannelle au contraire provoquera les règles ;
- pour cicatriser les plaies : mettre sur la blessure un emplâtre fait de farine de fénugrec et de blanc d'œuf ;
- pour lutter contre les douleurs de dents : mâcher longuement des graines de maniguette.
Ces médications ont fait autorité pendant plusieurs siècles, mais il n'est pas conseillé d'y avoir recours aujourd'hui.

Et pourtant, herbes et épices alimentent toujours les prescriptions médicales notamment dans les pays démunis d'industries pharmaceutiques modernes et dans les pays orientaux, à tel point que l'Occident a redécouvert la vertu des soins par les plantes.
L'aromathérapie, médecine « douce » qui répond à la mode des produits naturels, utilise les huiles essentielles, des épices et des herbes. Ces huiles sont le plus souvent obtenues après distillation ou expression des plantes. On leur accorde des qualités de soulagement pour bon nombre de maux lorsqu'elles sont utilisées en massage, en inhalations ou en bains ; elles sont en général diluées dans de l'huile d'amande douce ou de pépins de raisin. Ainsi l'huile essentielle de poivre noir peut-elle être utilisée contre le mal de dos ou les foulures légères...
Il est difficile de trouver dans le commerce des huiles essentielles d'épices car leur utilisation est délicate et peut se révéler dangereuse.
Néanmoins, bon nombre d'entre elles participent à la fabrication de médicaments et de sirops vendus en pharmacie.
Des laboratoires, intéressés par ces nouvelles formes de thérapie, dépêchent des chercheurs dans les contrées qui font appel aux ressources des épices et des herbes afin d'élaborer de nouveaux médicaments.
La phytothérapie, reconnue officiellement comme médecine à part entière depuis 1986, est une lointaine descendante de la « médecine herboriste » médiévale. Elle utilise des plantes séchées broyées à froid sous azote liquide à - 196° ; la poudre obtenue est alors insérée dans des gélules et proposée à la vente dans les pharmacies ou les herboristeries qui donnent parfois raison aux anciens :
- le fénugrec est ainsi préconisé pour prendre du poids ou stimuler l'appétit ;
- le gingembre prévient les nausées et ravive l'ardeur sexuelle ;
- les gélules d'ail préviennent l'hypertension...
Outre leurs propriétés médicinales, les épices permettent à la haute couture de mettre au point des parfums originaux et exotiques. Les huiles essentielles de noix de muscade, de cannelle, de vanille, mêlées aux fragrances de fruits et de fleurs, sont alors savamment dosées pour offrir aux femmes les senteurs les plus délicates.

Les parfums d'ambiance font également largement appel aux ressources des épices et certains magasins spécialisés vendent désormais des concentrés d'odeur, le plus souvent, hélas, composés à partir d'essences chimiques. On peut ainsi trouver des bougies à la vanille pour lutter contre l'odeur du tabac, des flacons qui mélangent les arômes — comme par exemple la cannelle et l'orange — à distiller dans des bols, ou encore des sachets d'épices séchées à glisser dans le linge. Certains apportent à la maison une note parfumée, d'autres ont pour vocation de chasser les parasites domestiques ou les autres insectes de nos armoires.

Voici un exemple de préparation facile à réaliser soi-même pour lutter contre les mites : mettez dans un sachet de coton du carvi, de la muscade, du macis, de la cannelle, le tout moulu, et ajoutez-y de la poudre de racine d'iris.

Les pots-pourris se présentent sous une forme plus esthétique. Ils offrent des camaïeux de couleurs agréables lorsqu'ils sont exposés dans des coupelles transparentes. La plupart d'entre eux sont une savante composition de pétales de roses et de géraniums séchés, de lavande, de chèvrefeuille, saupoudrés de clous de girofle et de cannelle en poudre.

DU BON USAGE DES ÉPICES

Il est préférable d'acheter des épices fraîches car elles conservent un arôme plus puissant que lorsqu'elles sont séchées. En tous cas, mieux vaut les prendre entières que moulues : elles gardent plus longtemps leur parfum. En outre, il est très facile de les réduire en poudre soi-même avec un moulin à café ou un moulin à poivre, ou éventuellement un mortier.

Pour garder des épices en poudre, il faut les placer dans un récipient hermétique, dans un endroit frais, à l'abri de la lumière. Il n'y a pas de meilleur moyen de vérifier la fraîcheur d'un mélange que de faire appel à son odorat. La plus petite odeur de moisi indique que l'épice a perdu ses qualités aromatiques.

Il est facile de se procurer des épices. Les épiceries fines prestigieuses offrent évidemment des mélanges d'épices ou des plantes en poudre d'excellente qualité, mais il existe également des magasins spécialisés dans la vente de produits « exotiques » orientaux, africains ou antillais qui mettent à la disposition du public un choix très varié d'assortiments aromatiques. La grande distribution présente aussi dans de petits bocaux transparents les ingrédients nécessaires à la plupart de nos plats cuisinés.

Index des épices citées

- ail : 30-35, 72, 76, 77, 78, 79.
- anis étoilé : 69.
- cannelle : 6, 11, 42-47, 79, 80.
- cardamome : 49, 76.
- carvi : 71, 80.
- clou de girofle : 6, 16, 52-54, 77, 78, 80.
- coriandre : 68, 71, 73, 76, 77, 78.
- cumin : 6, 55, 76, 79.
- curcuma : 50-51, 68, 72, 77.
- fagara : 28, 69, 71.
- fénugrec : 68, 77.
- gingembre : 6, 16, 48-49, 69, 71, 72, 73.
- moutarde : 16, 36-41, 71, 79.
- nigelle : 27.
- noix de muscade : 11, 12, 16, 54-55, 80.
- piments : 56-59, 72, 73, 77, 78, 79.
- poivre : 8, 18-29, 71, 77, 78.
- poivre de Bourbon : 27.
- poivre de Guinée : 27.
- poivre de la Jamaïque : 29.
- safran : 16, 50-51, 73.
- sansho : 29.
- sénevé : voir moutarde.
- sésame : 69, 72, 78, 80.
- sumac : 76.
- toute-épice : 78.
- vanille : 62-63, 77, 78.
- wasabi : 69.

Crédits photographiques

Imprimé en U.E.